NATUREZA HUMANA

**TRADUÇÃO
DAVY BOGOMOLETZ**

**ORGANIZAÇÃO
CHRISTOPHER BOLLAS
MADELEINE DAVIS
RAY SHEPHERD**

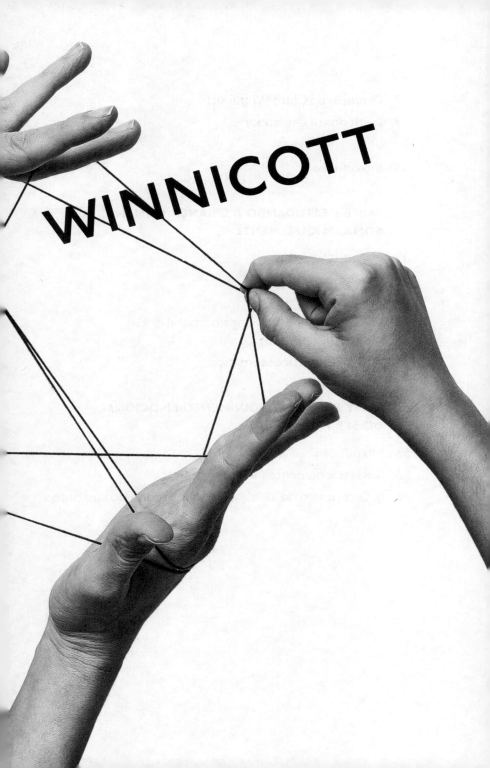

7   Prefácio de Clare Winnicott
9   Nota dos organizadores

13 Introdução

PARTE I ESTUDANDO A CRIANÇA HUMANA: SOMA, PSIQUE, MENTE

19 Introdução
25 1. Psicossoma e mente
30 2. A doença
35 3. A relação entre doença corporal e distúrbio psicológico
45 4. O campo psicossomático

PARTE II O DESENVOLVIMENTO EMOCIONAL DO SER HUMANO

53 Introdução
57 5. Relacionamentos interpessoais
78 6. O conceito de saúde a partir da teoria dos instintos

PARTE III ESTABELECIMENTO DO STATUS DE UNIDADE

- 101 Introdução – Desenvolvimento emocional característico da infância inicial
- 104 7. A posição depressiva
- 124 8. Desenvolvimento do tema do mundo interno
- 130 9. Diferentes tipos de material psicoterápico
- 138 10. Ansiedade hipocondríaca

PARTE IV DA TEORIA DOS INSTINTOS À TEORIA DO EGO

- 143 Introdução – Desenvolvimento emocional primitivo
- 145 11. Estabelecimento da relação com a realidade externa
- 167 12. Integração
- 176 13. Localização da psique no corpo
- 181 14. Os estados iniciais
- 188 15. Um estado primário do ser: os estágios pré-primitivos
- 193 16. Caos
- 198 17. A função intelectual
- 200 18. Retraimento e regressão
- 203 19. A experiência do nascimento
- 215 20. O ambiente
- 226 21. Reconsiderando a questão psicossomática

- 235 Apêndice

- 241 Índice remissivo
- 251 Sobre o autor

PREFÁCIO
CLARE WINNICOTT

Em 1936, Donald Winnicott foi convidado por Susan Isaacs para lecionar sobre crescimento e desenvolvimento humano a professores de ensino fundamental, em um curso avançado na Universidade de Londres. Em 1954, quando este livro foi iniciado, ele vinha ensinando também a estudantes de assistência social na universidade desde 1947. Essas oportunidades de ensinar regularmente, que prosseguiram até sua morte em 1971, eram muito valorizadas por Winnicott porque lhe forneciam um estímulo constante para esclarecer suas próprias ideias e modificá-las à luz de sua interação com os estudantes e de suas próprias experiências. Seria possível dizer que suas atividades docentes fizeram parte de seu próprio desenvolvimento e ele era profundamente grato a Susan Isaacs, cuja confiança proporcionou-lhe o primeiro passo para uma atividade desse tipo.

Winnicott criou seu próprio método para comunicar o material de suas aulas e ano após ano os estudantes acabavam desistindo de tomar notas, envolvendo-se com ele em um processo de verdadeiro crescimento e desenvolvimento. Suas aulas podiam ser informais e parecer pouco estruturadas, mas se baseavam em um núcleo central de conhecimentos integrados e em um esquema cuidadosamente traçado das etapas do desenvolvimento humano que os estudantes podiam compreender. Os diagramas rapidamente construídos no quadro negro serão sempre lembrados por todos os que assistiam a suas aulas como um aspecto essencial de seu modo de se comunicar.

PREFÁCIO

O propósito original deste livro foi o de *fornecer as anotações que os estudantes não conseguiram fazer* e colocá-las à disposição de todos os estudiosos da natureza humana.

Em sua primeira versão, o livro foi iniciado e concluído no verão de 1954, em um período de tempo relativamente curto. Desde então até o momento de sua morte, Winnicott não cessou de revê-lo e revisá-lo.

NOTA DOS ORGANIZADORES

Plano do livro

Winnicott preparou duas estruturas preliminares para seu livro sobre a natureza humana. A primeira é datada de agosto de 1954, época em que, como sabemos por meio de Clare Winnicott, a maior parte do livro foi escrita. A segunda foi realizada por volta de 1967. Ambas estão reproduzidas em um apêndice ao fim deste volume.

O livro segue as três primeiras partes da primeira estrutura de modo bastante fiel, ainda que a ordem dos assuntos tenha sido ligeiramente modificada. Por exemplo, a proposta de uma seção sobre o "Estudo de sequências", que incluiria a fantasia, a realidade interna e o sonho, não se materializou conforme os planos, assim como a seção sobre os "Objetos e fenômenos transicionais", provavelmente porque esses temas já haviam sido abordados em capítulos anteriores. Pode-se ver na primeira estrutura que Winnicott planejava, originalmente, incluir duas outras partes, com capítulos sobre a tendência antissocial e os vários estágios do desenvolvimento da latência à maturidade, mas esses nunca foram escritos. Há evidências, ainda assim, de que Winnicott pretendia iniciar a parte seguinte com um ensaio intitulado "Pesquisa sobre a delinquência", que havia sido publicado em 1943 na revista *New Era in Home and School*.

A segunda estrutura pode ter sido planejada como um guia para a revisão do livro. Note-se que as partes I e II estão resumidas de modo bastante preciso em sua forma definitiva nessa estrutura, mas parece que Winnicott pretendia reduzir a parte II (que trata de relacionamentos interpessoais e da teoria dos instintos); além disso, dos oito capítulos que constam na parte IV, apenas aquele sobre o ambiente está listado ali.

Títulos

Os títulos de cada uma das partes, capítulos e seções que constam do presente volume são praticamente os mesmos encontrados no texto datilografado. Nos poucos lugares onde acrescentamos o título de alguma seção, por uma questão de consistência do texto, os esboços de estrutura foram consultados.

Texto

Manteve-se o texto tal como foi encontrado. As correções manuscritas feitas por Winnicott ou por Joyce Coles, sua secretária, foram incorporadas ao texto.

Notas para revisão

Várias notas manuscritas foram deixadas junto ao texto datilografado, indicando onde e como Winnicott pretendia revisar certos trechos do livro. A maioria delas estava escrita em pequenos pedaços de papel com o número da página à qual se referiam. Mas em alguns casos as notas foram escritas na margem do texto. Todas essas notas foram incluídas na forma de notas de rodapé nos lugares em que a revisão seria realizada.

INTRODUÇÃO

Minha tarefa é o estudo da natureza humana.

No momento em que começo a escrever este livro, percebo-me mais do que consciente da vastidão do empreendimento. A natureza humana é quase tudo o que possuímos.

Apesar de saber disso, pretendo ainda assim ater-me a esse título, e fazer sobre a natureza humana uma exposição capaz de aglutinar as diversas experiências que vivi: o que aprendi de meus professores e em minhas vivências clínicas. Dessa maneira, eu talvez consiga uma descrição pessoal – e, portanto, compreensivelmente limitada – de um tema que em si mesmo não conhece limites.

Para um médico, é bem mais fácil, e também mais comum, escrever sobre doenças. Por meio do estudo da doença, chega-se ao conhecimento de muitas coisas importantes a respeito da saúde. Mas a noção médica de que a saúde é uma relativa ausência de doenças não é suficientemente boa. A palavra "saúde" tem seu próprio significado positivo, fazendo a ausência de doenças não ser mais que o ponto de partida para uma vida saudável.

O leitor ao qual me dirijo é um estudante pós-graduado que, assim creio, já leu uma boa dose de psicologia dinâmica e teve um certo número de experiências, tanto no trabalho como em suas vivências pessoais.

O leitor tem o direito de saber de que modo me tornei capaz de escrever sobre psicologia. Minha vida profissional girou em torno da pediatria. Enquanto meus colegas pediatras especializaram-se principalmente no aspecto físico, voltei-me aos poucos para a especialização no aspecto psicológico. Nunca abandonei a pediatria geral, pois a mim parece que a psiquiatria infantil, essencialmente, faz parte da pediatria. Enquanto a psiquiatria de adultos infelizmente tem que ser apartada da prática médica e cirúrgica, essa separação jamais deveria ocorrer quando se trata de bebê e crianças.

Devido a problemas de natureza pessoal, entrei em contato com a psicanálise em um estágio inicial de minhas atividades como médico de crianças. Logo pude perceber que havia um lugar para a psicanálise de crianças, igualmente como método terapêutico e como instrumento de pesquisa. Em 1927, entrei em contato com a aplicação que Melanie Klein fazia do método freudiano para a terapia de crianças, e mais tarde descobri que August Aichhorn, Anna Freud, Alice Balint e outros haviam, de várias maneiras, começado a aplicar a psicanálise aos problemas da infância, e tive a oportunidade de aprender com Anna Freud, que viera morar em Londres.

Tendo ingressado no Instituto da Sociedade Britânica de Psicanálise, formei-me em psicanálise, e depois em psicanálise infantil, tornando-me capaz de analisar quase todos os tipos de casos de crianças e adultos, de todas as faixas etárias. Entretanto, a experiência de um determinado psicanalista será sempre aquela de uma única pessoa. A um analista não é dado fazer mais do que cerca de setenta análises completas. A natureza de minha atuação permitiu-me ir além dessa dificuldade quanto ao número de casos atendidos, por ter tido sob meus cuidados um grande número de pacientes de ambulatório, além de ter realizado inúmeras psicoterapias breves e lidado com diversos problemas de manejo.[1]

---

[1] Em inglês, *management*, termo que se traduz por "manejo", "administração", "gestão", "trato", "controle" ou "cuidado", a depender do contexto. No *setting*, Winnicott faz distinção entre manejo de

Nos estágios iniciais de minha carreira, evitei os casos muito trabalhosos da tendência antissocial, mas durante a guerra fui forçado a tratar desse tipo de distúrbio, em vista do trabalho que tive o privilégio de fazer com as crianças transferidas em Oxfordshire.

Nessa mesma época, fui cedendo lentamente à tentação de tratar de pacientes adultos do tipo psicótico, e descobri que era possível aprender muito sobre a psicologia dos primeiros estágios da infância com adultos profundamente regredidos no decorrer do tratamento analítico, o que não teria sido possível pela observação direta de bebês, nem mesmo pela análise de crianças de dois anos e meio. Esse trabalho psicanalítico com adultos psicóticos revelou-se extremamente extenuante e demorado, e nem sempre muito bem-sucedido. Em um caso que terminou tragicamente, dei 2.500 horas de minha vida profissional, sem nenhuma esperança de remuneração. No entanto, aquele trabalho ensinou-me mais que qualquer outro, de qualquer natureza.

Fazendo a ligação entre todas estas coisas, esteve a constante necessidade de dar conselhos a pais e mães que me consultavam, e foi essa parte de meus afazeres que me pareceu a mais difícil.

Menciono, finalmente, o estímulo que representaram o ensino e as palestras radiofônicas.

---

caso e psicoterapia ou psicanálise como modalidades de trabalho clínico, e estende a tarefa do manejo aos pais, à família e a outras instituições da sociedade civil. [N. E.]

PARTE I

ESTUDANDO A CRIANÇA HUMANA: SOMA, PSIQUE, MENTE

INTRODUÇÃO

Parece-me adequado examinar a natureza humana por meio do estudo da criança. Mesmo que, quando saudável, o adulto continue a crescer, desenvolver-se e mudar até o instante de sua morte, existe uma constante já visível na criança e que persiste até o fim, assim como o rosto de uma pessoa permanece reconhecível ao longo da vida toda.

Mas onde encontrar essa criança?

- O corpo da criança pertence ao pediatra.
- Sua alma pertence ao sacerdote.
- Sua psique é propriedade da psicologia dinâmica.
- O intelecto pertence ao psicólogo.
- A mente pertence ao filósofo.
- A psiquiatria reivindica os distúrbios da mente.
- A hereditariedade é propriedade do geneticista.
- A ecologia reinvindica direitos sobre o ambiente social.
- As ciências sociais estudam o contexto familiar e sua relação com a sociedade e a criança.
- A economia examina as pressões e tensões devidas a necessidades conflitantes.
- A lei apresenta-se para regular e humanizar a vingança pública contra comportamentos antissociais.

Contrastando com a multiplicidade dessas várias reivindicações, o animal humano individual possui uma unidade e um tema central, e é necessário que possamos juntar em uma única exposição complexa os comentários produzidos a partir de cada um desses postos de observação.

INTRODUÇÃO

Não é necessário adotarmos um método único e exclusivo para a descrição do ser humano. É bem mais lucrativo familiarizar-se com o uso de cada um dos métodos de abordagem conhecidos.

Ao eleger a abordagem que estuda o desenvolvimento como a mais capaz de focalizar os diversos pontos de vista, espero deixar claro como, inicialmente, a partir da fusão primária do indivíduo com o ambiente emerge algo, o indivíduo reivindica um espaço e se torna capaz de estar em um mundo que é negado; ocorre então o fortalecimento do self como uma entidade, uma continuidade do ser como um lugar onde, e de onde, o self pode emergir como uma unidade, como algo ligado ao corpo e dependente de cuidados físicos; e então advém a consciência (e consciência implica a existência de uma mente) da dependência, e a consciência quanto à confiabilidade da mãe e de seu amor, que chega ao bebê sob a forma de cuidados físicos e adaptação à necessidade; ocorre então a aceitação pessoal das funções e dos instintos[1] e seus clímaces, o gradual reconhecimento da mãe como um outro ser humano e, junto a isso, a mudança da impiedade em direção à consideração; e então há o reconhecimento do terceiro, e do amor complicado pelo ódio, e do conflito emocional; e esse todo é enriquecido pela elaboração imaginativa de cada função e pelo crescimento da psique juntamente ao do corpo; e também a especialização da capacidade intelectual, que depende da qualidade dos atributos cerebrais; e de novo,

---

[1] Nesta edição, *instinct* foi traduzido por "instinto", *impulse* por "impulso" e *drive* varia entre "impulso", "pressão instintual" e "instinto", evitando-se adotar o termo "pulsão", que está no campo semântico do erotismo, diferente do campo a que se refere Winnicott. [N. E. de Leopoldo Fulgencio]

em paralelo a isso tudo, surge um desenvolvimento gradual da independência em relação aos fatores ambientais, levando com o tempo à socialização.

Seria possível partir do início e avançar etapa por etapa, mas isso implicaria começar com o obscuro e o desconhecido e só mais tarde chegar ao que é de conhecimento geral. Esse estudo do desenvolvimento começará com a criança de quatro anos e avançará para trás, alcançando mais adiante os momentos iniciais do indivíduo.

Permitam-me uma palavra a respeito da saúde física. A saúde do corpo implica o funcionamento físico adequado à idade da criança e a ausência de doenças. A avaliação e medida da saúde corporal é uma tarefa assumida pelo pediatra – quer dizer, a saúde corporal como funcionamento do corpo não perturbado pelas emoções, pelo conflito emocional ou pela fuga de alguma emoção dolorosa.

Da concepção à puberdade, há um desenvolvimento constante e contínuo das funções, e a ninguém ocorreria avaliar o desenvolvimento físico da criança sem levar em conta sua idade.

Presumindo-se que haja um cuidado satisfatório com a criança, podemos dizer que existe uma taxa padrão de desenvolvimento. A todo momento, são produzidas novas tabelas comparativas. Utilizamos então os dados coletados e classificados, mas permanecemos sempre dispostos a admitir a grande margem de variação individual inerente aos conceitos de saúde.

A pediatria surgiu principalmente como um estudo das doenças físicas peculiares à infância, na qual a saúde era percebida como uma ausência de doenças. Há não muito tempo, o raquitismo era muito comum, assim como muitos outros distúrbios devidos à alimentação deficiente. A pneumonia representava um problema constante, levando com frequência ao

INTRODUÇÃO

empiema, raramente encontrado hoje em dia em hospitais londrinos. A sífilis congênita era muitas vezes diagnosticada nas clínicas pediátricas, e não era fácil de tratar. Infecções ósseas agudas exigiam drásticas intervenções cirúrgicas, e um doloroso tratamento subsequente. Nos últimos anos, porém, o quadro transformou-se completamente.

Cem anos atrás, o estado das coisas era ainda pior, com uma quase total confusão quanto a diagnósticos e fatores causais, e a primeira tarefa da geração pioneira de pediatras foi a de classificar adequadamente as diferentes doenças. Naqueles dias, não havia muito tempo ou espaço para considerações sobre a saúde como tal nem para o estudo das dificuldades a que a criança fisicamente saudável está sujeita pelo fato de crescer em uma sociedade formada por seres humanos.

Atualmente, diante do avanço no diagnóstico e tratamento dos distúrbios corporais, encontramos médicos perfeitamente equipados para lidar com os males do corpo procurando conhecer também os modos pelos quais as funções corporais são perturbadas por coisas como a ansiedade ou por um manejo familiar deficiente.[2]

---

[2] Gostaria de fazer menção a Guthrie, autor de "Functional Nervous Disorders in Childhood" (London: Oxford University Medical Publications, 1907), não porque ele tenha chegado a grandes alturas, mas porque foi o pioneiro a quem devo o clima especial no Paddington Green Children's Hospital, que tornou possível minha indicação para lá em 1923. Após sua morte trágica, fiquei encarregado de dar sequência ao trabalho em seu departamento, e na época não chegou ao meu conhecimento que minha inclinação para a psicologia foi a causa de minha nomeação para a equipe pediátrica do hospital.

Uma nova geração de estudantes de medicina reivindica conhecimentos de psicologia. Onde irão obtê-los? Os próprios professores de pediatria nem sempre possuem tal conhecimento. Existe em minha opinião um real perigo de que os aspectos mais superficiais da psicologia infantil sejam hipervalorizados. Tanto os fatores externos como a hereditariedade são responsabilizados por tudo. As entidades nosológicas psiquiátricas estão classificadas e descritas de forma muito nítida, mas falsa; os testes de aptidão ou personalidade são respeitados de modo exagerado; a aparência feliz de uma criança é aceita muito rapidamente como sinal de desenvolvimento emocional sadio.

O que o psicanalista tem a oferecer? Sem dúvida, não soluções fáceis. Em vez delas, ele apresenta ao jovem pediatra, já com seus trinta anos e pai de família, uma nova matéria pelo menos tão vasta quanto a fisiologia. Além disso, ele diz que, para atingir na psiquiatria infantil uma posição tão elevada quanto a que ele detinha na pediatria tradicional, o jovem pediatra terá que se submeter a uma análise pessoal e a um treinamento especial.

Isso não é fácil, mas não há atalhos nem jamais haverá. O pediatra hesita diante de tamanha aventura e prefere manter-se firme na pediatria somática, mesmo sabendo que terá de embrenhar-se campo adentro até encontrar doenças suficientes para curar e prevenir. Mas chegará o tempo em que não será mais necessária qualquer nova expansão da pediatria somática, neste país, e um número cada vez maior de jovens pediatras será empurrado para a psiquiatria infantil. Eu espero por esse dia, há três décadas espero por esse dia. Mas o perigo é que o lado doloroso desse processo seja evitado, em um esforço para encontrar um atalho; as teorias serão reformuladas, sugerindo que os distúrbios psiquiátricos não são produzidos por confli-

INTRODUÇÃO

tos emocionais, mas pela hereditariedade, pela constituição, pelo desequilíbrio hormonal e pelo manejo grosseiro e inadequado. O fato, porém, é que a vida em si mesma é difícil, e a psicologia refere-se aos problemas inerentes ao desenvolvimento individual e ao processo de socialização; além disso, na psicologia infantil, temos de nos defrontar com a batalha em que nós próprios estivemos uma vez, ainda que em geral já a tenhamos esquecido ou nunca tenhamos tido consciência dela.

1
PSICOSSOMA E MENTE

O ser humano é uma amostra no tempo da natureza humana. A pessoa total é física, se vista de um certo ângulo, ou psicológica, se vista de outro. Existem o soma e a psique. Existe também um inter-relacionamento de complexidade crescente entre os dois, e uma organização deste relacionamento proveniente daquilo que chamamos mente. O funcionamento intelectual, assim como a psique, tem sua base somática em certas partes do cérebro.

Como observadores da natureza humana, podemos discernir entre funcionamentos do corpo, da psique e da mente.

Não cairemos na armadilha que nos é preparada pelo uso popular de "mental" e "físico". Esses termos não descrevem fenômenos opostos. O soma e a psique é que são opostos. A mente constitui uma ordem à parte, e deve ser considerada um caso especial do funcionamento do psicossoma.[1]

É necessário chamar a atenção para o fato de que é possível olhar para a natureza humana das três maneiras indicadas, e

---

[1] Cf. Donald W. Winnicott, "A mente e sua relação com o psicossoma" [1949], in *Da pediatria à psicanálise*, trad. Davy Bogomoletz. São Paulo: Ubu Editora/ WMF Martins Fontes, 2021.

inclusive estudar as causas dessa divisão de áreas. Será especialmente interessante pesquisar os estágios muito precoces da dicotomia entre psique e soma no bebê, e os primórdios da atividade mental.

Saúde somática

A saúde corporal requer uma hereditariedade e uma criação suficientemente boas. Na saúde, o corpo funciona de acordo com a faixa etária adequada. Acidentes e falhas do ambiente são enfrentados de modo a fazer desaparecem com o tempo suas consequências negativas. O desenvolvimento prossegue com o passar do tempo, e gradualmente o bebê transforma-se no homem ou na mulher, nem cedo demais, nem tarde demais. A meia-idade chega na época certa, com outras mudanças igualmente adequadas, e por fim a velhice vem desacelerar os vários funcionamentos até que a morte natural surge como a derradeira marca da saúde.

Saúde psíquica

De forma semelhante, a saúde da psique deve ser avaliada em termos de crescimento emocional, consistindo em uma questão de maturidade. O ser humano saudável é emocionalmente maduro tendo em vista sua idade no momento. A maturidade envolve gradualmente o ser humano em uma relação de responsabilidade para com o ambiente.

Assim como a maturidade física constitui um assunto de grande complexidade, se for levada em conta a totalidade da fisiologia (por exemplo, a bioquímica do tônus muscular), da mesma forma a maturidade emocional é complexa. O objetivo central deste livro é o de ir mostrando aos poucos de que modo foi sendo descoberta a complexidade do desenvolvimento emocional, e como esse pode ser investigado cientificamente, apesar da complexidade.

Intelecto e saúde

O desenvolvimento intelectual não é comparável ao da psique ou do soma. O termo "saúde intelectual" não quer dizer nada. O intelecto, assim como a psique, depende do funcionamento de um determinado órgão do corpo, o cérebro (ou certas partes dele). A base do intelecto é, portanto, a qualidade do cérebro, mas o intelecto só pode ser descrito em termos de mais ou menos, salvo quando o cérebro é deformado ou mutilado por alguma doença física. Em termos de desenvolvimento, o intelecto em si mesmo não pode estar doente, ainda que possa ser explorado por uma psique doente. A psique, em contrapartida, pode estar ela mesma doente, ou seja, deformada por falhas no desenvolvimento, a despeito de existir uma base cerebral saudável para seu funcionamento. A parte do cérebro da qual depende a capacidade intelectual é muito mais variável que aquela de que depende a psique, sendo além do mais um componente mais recente na evolução da espécie. A hereditariedade e o acaso fornecem um cérebro que está acima ou abaixo da capacidade média de funcionamento, ou então, o acaso, uma doença ou um acidente (tal como um dano sofrido por ocasião do nascimento) produzem um cérebro deficiente ou danificado; ou um processo infeccioso durante a infância (meningite, encefalite)

I. PSICOSSOMA E MENTE

ou um tumor podem causar interferências residuais variadas no funcionamento cerebral. Também ocorre que, durante um (assim chamado) tratamento de distúrbio mental, o neurocirurgião deliberadamente retalha o cérebro de modo a inibir defesas fortemente organizadas contra a loucura, defesas essas que, em si mesmas, constituem um estado clínico doloroso. Em qualquer uma dessas formas, o intelecto é atingido ou os processos mentais são modificados, ainda que o corpo (à exceção do cérebro) possa permanecer sadio.

Em todos os casos, entretanto, o bom ou mau estado de saúde da psique deve ser avaliado. Em um extremo, teremos uma criança com quociente de inteligência de 80, que goza de boa saúde física e apresenta inclusive um desenvolvimento emocional saudável – tornando-se até mesmo uma pessoa interessante e de valor, com um bom caráter e merecedora de confiança, capaz até mesmo de vir a ser um bom cônjuge e de criar bem seus filhos. No outro extremo, teremos a criança com um intelecto excepcional (Q.I. de 140 ou mais) que, apesar de possivelmente talentosa e de grande valor, pode estar extremamente doente, se seu desenvolvimento emocional foi perturbado, estando sujeita a surtos psicóticos, apresentando um caráter indigno de confiança, e com poucas probabilidades de vir um dia a cuidar de si mesma.

Sabe-se hoje em dia que, em crianças razoavelmente saudáveis, o quociente de inteligência, aferido em estrita adequação quanto à idade cronológica, permanece mais ou menos constante. Esse fato mostra, mais uma vez, que o intelecto depende fundamentalmente dos atributos do tecido cerebral. A descrição dos casos em que o Q.I. não permanece constante consiste, na verdade, em uma enumeração dos modos pelos quais ocorre uma distorção no uso do intelecto, devida, de um lado, a algum distúrbio no desenvolvimento emocional, e de outro, à manifestação de alguma doença no tecido cerebral.

Em todo grupo de crianças deficientes podem ser encontradas algumas cujo tecido cerebral seria capaz de um desempenho médio e até mesmo superior, e para as quais o diagnóstico correto seria o de psicose infantil. A deficiência mental seria, então, um sintoma de perturbações precoces do desenvolvimento emocional. Esse tipo de deficiência não é muito raro.

Em oposição a isso, o clínico encontra crianças cujo intelecto é impelido pela ansiedade e trabalha em regime de sobrecarga, novamente devido a alguma perturbação emocional (ameaça de confusão) e cujo Q.I., que no teste se mostra elevado, decresce quando, como resultado de uma psicoterapia ou em razão de um cuidado ambiental bem-sucedido, a ameaça do caos torna-se menos iminente.

O intelecto, então, não é exatamente como o corpo e a psique. Ele é feito de outro material, e não se pode dizer do intelecto que, nele, saúde seja maturidade e maturidade seja saúde. Não há, de fato, nenhum vínculo entre os conceitos de saúde e de intelecto. Na saúde, a mente funciona nos limites do tecido cerebral, porque o desenvolvimento emocional do indivíduo é satisfatório.

Tudo isso exigirá consideração detalhada.

2

A DOENÇA

Neste ponto, será útil examinar a doença de modo mais amplo. É possível fazer-se uma descrição bastante simples dos males e distúrbios tanto do soma como da psique; a interação dos dois é complicada, mas pode-se tentar um esboço, tendo como base a aceitação da dicotomia.

Doenças somáticas

HEREDITÁRIAS	Evidências surgidas após o nascimento, ou evidências posteriores surgidas antes ou depois do parto
CONGÊNITAS	Durante o trabalho de parto – Anormalidade provoca dificuldades no parto durante o nascimento No parto – Acidentes no parto

DEFICIÊNCIAS NA NUTRIÇÃO (OU PROBLEMAS NA EXCREÇÃO)	Calorias, sais minerais, vitaminas	Perseguição (falhas na criação)	Todos os graus intermediários	Autoinfligidas
ACIDENTE	Simples acaso Guerra	" "	" "	" "
INFESTAÇÃO INFECÇÃO	Simples acaso	"	"	"
(AINDA NÃO COMPREENDIDAS)		Neoplasias Certas doenças, provavelmente infecciosas (reumatismo agudo, coreia etc.)		

Esse quadro cobre todas as doenças, com exceção de uma vasta categoria: a perturbação do funcionamento dos tecidos corporais devida aos diferentes estados psicológicos.

Talvez pareça surpreendente que essa simples descrição dê conta de todo o trabalho do pediatra clínico, especialmente considerando-se que esse trabalho é árduo e que o conhecimento exigido seja tão vasto.

Doenças da psique

Não existe uma descrição simples das doenças da psique, exceto quando dizemos que clinicamente se trata de um distúrbio do desenvolvimento emocional, mesmo quando a causa é, obviamente, a existência de fatores ambientais adversos.[1]

---

[1] *Nota para revisão*: Acrescentar descrição da saúde em termos de ausência de rigidez das defesas. "Você gosta dele/dela? Sim = saúde. Você está entediado/a? Sim = doença."

2. A DOENÇA

Quando a saúde física (inclusive o funcionamento do tecido cerebral) está garantida, é possível classificar as doenças da psique em neuroses e psicoses. Em um caso de neurose, as dificuldades começaram a surgir no interior das relações interpessoais características da vida familiar, estando a criança então entre os dois e os cinco anos de idade. Nessa fase, a criança é uma pessoa total em meio a pessoas totais, sujeita a poderosas experiências instintivas baseadas no amor entre pessoas. Na neurose, o desenvolvimento emocional da criança (ou do adulto) nos estágios anteriores ocorreu dentro de limites normais.

"Psicose" é o nome que se dá aos estados de doença cuja evolução começou em momentos anteriores, ou seja, antes que a criança se tornasse uma pessoa total relacionada a pessoas totais.

Essa classificação grosseira tem uma utilidade limitada, e assim que for realizada uma apreciação mais detalhada dos estados clínicos psicóticos será necessário um método mais refinado. Até aqui, é preciso apenas chamar a atenção para a importância de se considerar os pontos de origem dos distúrbios do desenvolvimento emocional, ao mesmo tempo que se procura utilizar os termos psiquiátricos consagrados.

Portanto:

TIPO	ESTADO CLÍNICO	ORIGEM
NEUROSES	Esquemas defensivos contra a ansiedade: fobias, histerias de conversão, neurose obsessiva etc.	Ansiedades surgidas da vida instintiva, como ocorre entre pessoas.

TIPO	ESTADO CLÍNICO	ORIGEM
PSICOSES	Maníaco-depressivas – Depressão – Defesas contradepressivas	Consideração pelo amor impiedoso. Reação à perda de objetos.
	Perseguição – Vinda de dentro: hipocondria – Vinda de fora: defesa paranoide – retraimento em direção ao mundo interno	Consideração pelos efeitos da agressividade.
ESQUIZOFRENIA	Defesa por meio de – Cisão – Desintegração – Perda do sentido de realidade – Perda do contato	Falhas na adaptação ativa por parte da mãe nos estágios iniciais.

Uma descrição grosseira como essa estimula o estudante para o estudo das doenças da psique em termos da psiquiatria do adulto. É mais lógico, entretanto, abordar a psiquiatria do adulto a partir de um estudo profundo da psiquiatria da criança.

Apesar de nossas boas intenções, acabaremos por descobrir que precisamos desenvolver uma nova classificação, e quando chegarmos ao final, não ficaremos satisfeitos.[2]

---

2 *Nota para revisão*: Esboçar uma retomada da classificação sob nova forma: i. e. dependência + família e provisão social; dá conta/ não dá conta.

2. A DOENÇA

Clinicamente, nem mesmo crianças doentes estão o tempo todo ansiosas ou o tempo todo mal. Muitas vezes, vemos acontecerem esquemas bem-sucedidos de defesa contra a ansiedade e, ao fazermos um diagnóstico, preocupamo-nos com o tipo de defesa e com seu êxito ou fracasso. É importante também que saibamos de que tipo é a ansiedade que produz a ameaça; por exemplo, as defesas podem ser contra o medo de perder o pênis, ou de perder alguma função importante associada a um instinto. Podem ser também defesas contra a depressão, ou seja, contra uma desesperança pertencente a sentimentos de culpa, inconscientes eles mesmos ou relativos a algum elemento inconsciente. Também é possível que as defesas sejam contra o medo de perder o contato com a realidade externa, ou contra o medo de uma desintegração caótica.

Tudo isso requer um exame mais detalhado, mas a intenção até aqui é a de deixar claro que existe alguma justificativa para uma classificação apenas esboçada dos distúrbios mais simples das crianças, de acordo com o tipo de doença que a criança tenderia a apresentar no caso de, sob tensão, ter uma crise e tornar-se verdadeiramente doente. Tal classificação me permitirá examinar de forma preliminar a interação entre os distúrbios físicos e os psiquiátricos, após o que voltarei ao estudo detalhado do crescimento emocional. Por enquanto, terei de omitir as falhas do ambiente nas várias etapas, um tema que também precisará de considerações detalhadas mais adiante. Também a sintomatologia de tipo antissocial deve ser deixada para mais tarde.

3

A RELAÇÃO ENTRE DOENÇA CORPORAL E DISTÚRBIO PSICOLÓGICO

EFEITOS DO CORPO E SUA SAÚDE SOBRE A PSIQUE

Hereditariedade

As considerações sobre a hereditariedade não deixam muito espaço para confusões. Presume-se que toda a hereditariedade se dê no nível físico, mesmo quando a consequência é psicológica (por exemplo, a tendência para a depressão ou para um temperamento histérico transmitido à criança por um dos pais). A base da psique é o soma e, em termos de evolução, o soma foi o primeiro a chegar. A psique começa como uma elaboração imaginativa das funções somáticas, tendo como sua tarefa mais importante a interligação das experiências passadas com as potencialidades, a consciência do momento presente e as expectativas para o futuro. É dessa forma que o self passa a existir. A psique não tem, obviamente, existência alguma fora do cérebro e do funcionamento cerebral.

A herança de traços de personalidade e de tendências para perfis e distúrbios psiquiátricos é física, e a carga hereditária impõe certos limites à psicoterapia. Esses limites têm relati-

3. A RELAÇÃO ENTRE DOENÇA CORPORAL E DISTÚRBIO PSICOLÓGICO

vamente pouca importância no tratamento de distúrbios neuróticos, mais importância nos casos de psicose e importância máxima na psicanálise de pacientes sadios, ou seja, daqueles que estão (por definição) mais próximos de serem aquilo que permitiria o equipamento com que vieram ao mundo.

Não se deve esquecer de que certas tendências herdadas para a doença se manifestam clinicamente bem tarde, de modo que, apesar de herdadas, tais tendências não são congênitas.

Distúrbios congênitos

A hereditariedade diz respeito aos fatores que existiam antes da concepção. Os distúrbios congênitos são aqueles que se tornam evidentes ao final do processo de nascimento. O termo "congênito" refere-se a dois conjuntos de distúrbios, sendo que o primeiro engloba aquelas doenças e deficiências que existiam antes do nascimento, e o segundo as sequelas do trabalho de parto em si.

O *pediatra* pensa em termos de problemas de crescimento (por exemplo, deficiências mentais devidas à rubéola contraída pela mãe no segundo mês de gravidez), deformidades ortopédicas (deslocamento do quadril, pé torto), infecções provenientes da mãe (sífilis antes do nascimento, ou gonorreia durante o parto), incompatibilidade sanguínea entre a mãe e o bebê ou danos causados às meninges ou mesmo ao cérebro por um parto demorado (em razão da pelve estreita da mãe ou de asfixia por demora excessiva) e assim por diante. O pediatra tem um vasto campo onde realizar seu trabalho altamente especializado, de modo que não se pode esperar dele que se preocupe também com as experiências (psicológicas) do nascimento de um bebê que nasceu sem deformidade e não sofreu asfixia ou choque no sentido físico do termo.

Recentemente, o *ginecologista* começou a se interessar pela psicologia do nascimento, tendo já quase alcançado um primeiro objetivo, o de tornar o parto uma experiência física segura. De qualquer modo, é a psicologia da mãe que ele estuda, e o que é ensinado atualmente pode ser resumido em poucas palavras: como libertar-se do medo. Isso pode ser alcançado por meio de instruções confiáveis, que tornam possível à mãe atingir um estado de relaxamento. A confiança pessoal em um médico e em um enfermeiro continua sendo o amparo mais importante da mãe, embora nem sempre isso seja mencionado. Não podemos esperar nem do ginecologista nem do enfermeiro de maternidade que mostrem muito interesse pela psicologia do bebê na hora de seu nascimento. A própria mãe não se encontra nas melhores condições para tornar-se uma pioneira justo nessa hora em que seu bebê está nascendo. Mas ela sabe que a psicologia de seu bebê deve ser levada em consideração. Quando é que ela será compreendida? O psicólogo deve, então, entrar em campo até que o pediatra e o ginecologista mudem de ideia e passem a estudar a psicologia do bebê.

Com o desenvolvimento do cérebro enquanto órgão em funcionamento, inicia-se a estocagem de experiências; as memórias corporais, que são pessoais, começam a juntar-se para formar um novo ser humano. Existem boas evidências de que os movimentos do corpo na vida intrauterina são significativos, e é plausível que, de modo silencioso, a quietude vivenciada naquele período também o seja.

Em algum momento próximo ao nascimento, ocorre um grande despertar, responsável pela diferença perceptível entre um bebê nascido prematuramente e outro com nascimento

3. A RELAÇÃO ENTRE DOENÇA CORPORAL E DISTÚRBIO PSICOLÓGICO

pós-maduro. O primeiro ainda não está pronto para a vida, e o segundo está sujeito a nascer em um estado de frustração por ter sido mantido à espera depois de estar pronto.

No entanto, a psicologia do próprio bebê não influencia, em geral, os distúrbios que, em conjunto, recebem o nome de "congênitos". Por sua vez, os acontecimentos ligados ao parto afetam intensamente a psicologia da criança. O estudo desses fenômenos deve ser realizado depois de o leitor ter sido apresentado ao ser humano que se encontra bem no início de sua vida.

Assim que se dá o nascimento, o efeito da psicologia do bebê sobre sua saúde corporal torna-se imediatamente perceptível.

Deficiências na ingestão

A alimentação não se estabelece simplesmente a partir de reflexos. Disso não há dúvida alguma. É bem conhecido o fato de que o estado emocional da mãe afeta a habilidade do bebê em tomar o seio, e também é sabido que os bebês podem ser fáceis ou difíceis de alimentar, mesmo desde o primeiro instante. Haverá muito a dizer sobre a psicologia do início da alimentação e sua continuidade. Não se trata aqui de desvalorizar os aspectos somáticos da alimentação, que vêm sendo estudados muito detalhadamente no campo da pediatria. Para o estudo desse tema, são necessários, sobretudo, a cooperação e o entendimento entre aqueles que conhecem muito bem os aspectos somáticos (envolvendo fisiologia, anatomia, neurologia e bioquímica) e aqueles que estão começando a conhecer alguma coisa a respeito dos aspectos psicológicos. Como exemplo instrutivo para o psicólogo não médico, gostaria de mencionar o fenômeno um tanto raro denominado "esôfago curto". Essa deformidade física provoca dificuldades na alimentação, especialmente uma tendência a vomitar. A postura afeta os sintomas. Com o tempo, o fenômeno tende a corrigir-se, de modo que quaisquer medidas que forem tomadas no momento acabam por receber crédito. Tais medidas podem vir muitas vezes sob a forma de conselhos sobre como manejar a situação ou mesmo da recomendação de psicoterapia para a mãe. Aqueles que estudam a psicologia do bebê não podem dar-se ao luxo de ignorar os distúrbios físicos e suas causas naturais, ainda que, felizmente, não lhes seja necessária a competência suficiente para assumirem a responsabilidade total pela parte somática, que deveria ser compartilhada por especialistas de ambos os lados.

Nos distúrbios da alimentação de bebês mais velhos, o lugar da psicologia torna-se mais e mais evidente. Os bebês podem ser normalmente caprichosos, a ponto de, quando ocorre de um bebê aceitar passivamente qualquer alimento agradavelmente apresentado, poder-se suspeitar de uma doença. Examinaremos as causas deste fato. Em condições extremas, um bebê de qualquer idade pode tornar-se tão ativamente inibido quanto à alimentação que o resultado vem a ser fatal. Entre um capricho saudável e uma inibição patológica, todas as gradações são possíveis.

Existem muitas e variadas combinações entre o físico e o psicológico. Um exemplo bastante comum é o da criança com um palato fendido congênito, incapaz de fruir normalmente o prazer da alimentação, ela precisa ser submetida a repetidas cirurgias e separações da mãe. O desenvolvimento emocional do bebê é afetado, mas não necessariamente a ponto da mutilação, porque o médico e o enfermeiro podem facilmente perceber o sentimento do bebê, e consequentemente agir de modo a

3. A RELAÇÃO ENTRE DOENÇA CORPORAL E DISTÚRBIO PSICOLÓGICO

contrabalançar os efeitos perturbadores do ambiente. Quando o sentimento de aflição do bebê é percebido de modo geral, os médicos e enfermeiros poderão fazer muita coisa para prevenir a doença psicológica do tipo que tem início nos primeiros estágios da infância, mesmo sem jamais adquirir um conhecimento psicológico especializado.

Problemas na excreção

Aqui não existe muita dificuldade para separar o que é físico do que é psicológico. Excetuando-se os raros casos em que o aparelho excretor se encontra deformado ou doente, os distúrbios do funcionamento excretor são sem dúvida a expressão de conflitos emocionais aparecendo em termos corporais.

Acidentes

Enquanto em um extremo da escala encontramos a ação do puro acaso, no outro extremo localiza-se a tendência a acidentar-se, uma condição que entre os distúrbios psiquiátricos pertence à classe da depressão. De modo semelhante, entre aqueles que foram malcuidados, há sempre alguns que trazem consigo a necessidade de serem perseguidos, sendo que essa necessidade, que constitui a base da doença psiquiátrica chamada paranoia, pode começar surpreendentemente cedo na infância inicial, na verdade muito pouco tempo após o nascimento.

    Sobre as infecções, é possível dizer que algumas dependem inteiramente do estado físico – por exemplo, a catapora: uma criança que não teve catapora pega-a de alguém que está no início da doença. Algumas infecções, em contrapartida, são influenciadas pelo estado emocional. Por exemplo, o processo da tuberculose pulmonar pode ser estreitamente correlacionado com o curso de fases depressivas, apesar de o tipo cirúrgico da tuberculose não apresentar uma correlação tão forte. A pneumonia, especialmente na época anterior aos antibióticos, era muito claramente um teste para a vontade de viver, e a cura dependia então, muito intensamente, dos cuidados com o doente. Nos velhos tempos, as enfermeiras extraíam uma enorme satisfação de seus êxitos com pacientes de pneumonia, porque sabiam que muitas vezes salvavam vidas com sua dedicação pessoal. Atualmente, os estudantes de enfermagem perdem muito pelo fato de a cura da pneumonia ser produzida por fatores relativamente mecânicos.

Uma categoria para o ainda desconhecido

Quase todas as doenças físicas podem caber nessas poucas categorias. Todavia, é necessário lembrar aos leitores não médicos que existem doenças corporais que são de natureza realmente física, embora sua causa ainda não seja conhecida. Um exemplo é o das neoplasias. A febre reumática e a coreia, bastante comuns, também são de origem desconhecida.

Isso não significa que uma doença revelará ter fundo psicológico apenas porque sua causa orgânica ainda não foi identificada, e isso é verdade apesar de a febre reumática e especialmente a coreia por vezes darem a impressão de se seguirem a um choque emocional ou a uma forte tensão psicológica.

3. A RELAÇÃO ENTRE DOENÇA CORPORAL E DISTÚRBIO PSICOLÓGICO

Alergia

Mais difícil de localizar é a coleção de distúrbios que se agrupam sob o título de "alergia". Aqueles que se dedicam com entusiasmo a estudar o fenômeno, que consiste em hipersensibilidade dos tecidos a agentes diversos (tais como a rinite alérgica causada pelo pólen), afirmam poder explicar um amplo conjunto de sintomas que a maioria dos demais observadores acredita ser de origem psicológica. Um claro exemplo é dado pela asma. A asma é um distúrbio do funcionamento corporal que, aparentemente, pode ser provocado por pura sensibilidade física do músculo brônquico a alguma substância inalada. Mas uma crise de asma pode ser puramente psicológica, com o que concordaria qualquer pessoa que tenha uma criança com asma sob observação minuciosa, tal como a que ocorre em situação de psicoterapia diária regular (como na psicanálise). A asma é um bom exemplo de distúrbio fronteiriço, e é tão necessário lembrar ao pesquisador em psicologia que existe para ela uma predisposição física, assim como há uma relação entre a asma e o eczema infantil, quanto é preciso lembrar ao médico clínico que essa é uma doença de caráter psicológico.

A alergia constitui um longo desvio dos princípios mais gerais, e a utilidade do termo refere-se principalmente à descrição de certos estados clínicos. Trabalhos promissores realizados sobre o tema acabaram por apontar mais para a psicologia que para a fisiologia ou a bioquímica. Não estou esquecendo, contudo, que a asma pode ser vista como causadora de distúrbios psiquiátricos, afora o problema de sua própria origem em cada caso específico, já que é impossível para uma criança ou um adulto sofrerem de asma (seja qual for sua causa) sem se deixar tiranizar por ela.

EFEITOS DA PSIQUE SOBRE O CORPO E SEU FUNCIONAMENTO

O desenvolvimento emocional sadio fornece à criança um sentido para a saúde física, assim como a saúde física lhe provê um reasseguramento que é de grande valia para o desenvolvimento emocional.

As tensões e pressões do crescimento emocional normal, bem como certos estados anormais da psique, têm um efeito adverso sobre o corpo.

A liberdade instintiva promove a saúde física e a partir disso se conclui que, em condições de desenvolvimento normal com crescente controle dos instintos, o corpo terá de ser sacrificado em muitos pontos, já que a liberdade dos instintos é normalmente restringida no processo de socialização da criança. O princípio a ser lembrado é o de que, sempre que um conflito na psique é relativamente consciente, os instintos são manejados por meio de autocontrole; o compromisso entre as exigências do instinto e as da realidade externa ou social ou consciente pode ser construído com o mínimo de prejuízo possível. Em contrapartida, em casos nos quais o conflito entre o impulso e o ideal de ego encontra-se no inconsciente reprimido, as inibições, compulsões e ansiedades resultantes são mais cegas, menos capazes de se adaptar às circunstâncias e mais danosas para o corpo e suas funções e processos.

O corpo de uma criança é capaz de suportar uma grande tensão, mas justamente a mesma tensão, se mantida pela vida adulta afora, pode cedo ou tarde gerar situações somáticas irreversíveis, tais como hipertensão benigna, ulceração da mucosa em algum ponto do trato digestivo, hiperatividade da tireoide etc.

3. A RELAÇÃO ENTRE DOENÇA CORPORAL E DISTÚRBIO PSICOLÓGICO

Os últimos estágios dessas transformações físicas irreversíveis que tiveram origem em um conflito na psique terão de ser tratados pelo médico, pelo cirurgião ou pelo endocrinologista, e isso é verdade *mesmo quando*, nessa etapa tardia, a psicoterapia é ministrada com êxito. A psicoterapia bem-sucedida realizada mais cedo teria evitado a necessidade de recorrer a um médico ou a um cirurgião.

4
O CAMPO PSICOSSOMÁTICO

Ao tentarmos elucidar os problemas da psicossomática, deveríamos olhar antes para a pediatria que para a medicina de adultos. As crianças oferecem o melhor material para o estudo das alterações dos tecidos e do funcionamento corporais relacionados a fenômenos psicológicos ou secundários a eles. A medicina psicossomática tornou-se um ramo da pesquisa e da prática médicas, ramo esse que, infelizmente, encontra-se desconectado de seus três correlatos mais próximos: a psiquiatria, a clínica geral e a psicanálise. As causas dessa situação são semelhantes àquelas que levaram ao uso dos termos "mental" e "físico" como se fossem fenômenos opostos. A natureza humana não é uma questão de corpo e mente – e sim uma questão de psique e soma inter-relacionados, sendo a mente um ornamento no ponto culminante de seu funcionamento.

Distúrbios do psicossoma são alterações do corpo ou do funcionamento corporal associadas a estados da psique. Essas alterações são mais bem estudadas no campo da clínica pediátrica, não apenas porque em crianças as condições são mais simples, mas também porque os estados da psique em adultos

4. O CAMPO PSICOSSOMÁTICO

não podem ser compreendidos sem que se faça referências à infância dos sujeitos a serem investigados.

A base para a psicossomática é a anatomia do que é vivo, que chamamos de fisiologia. Os tecidos estão vivos e fazem parte do animal como um todo, sendo afetados pelos estados variáveis da psique daquele animal.

As primeiras complicações a serem estudadas são aquelas mudanças fisiológicas que dizem respeito à atividade e ao repouso, e depois as mudanças referentes a excitações locais ou gerais, e essas últimas caracterizam-se pelos três estágios de preparação, clímax e recuperação. No estudo da excitação geral, os tecidos não podem ser estudados fora do contexto da psique total. Uma vez aceita a psique como um todo, então a fisiologia pode concentrar-se nas mudanças específicas relativas ao desejo e à ira, e também ao amor afetuoso, ao medo, ao luto e a outros afetos que representam facetas de fantasias sofisticadas, fantasias essas específicas ao indivíduo.

Ao longo de todo esse trabalho, o estudioso do psicossoma preocupa-se com as fantasias conscientes e inconscientes que constituem, por assim dizer, a histologia da psique, a elaboração imaginativa de todos os funcionamentos somáticos que são específicos do indivíduo. Se duas pessoas balançam um dedo, o anatomista e o fisiologista verão uma semelhança essencial nos dois eventos. Para o estudioso do psicossoma, no entanto, à anatomia e à fisiologia da ação deve ser acrescentado o significado da ação para o indivíduo, e por isso balançar o dedo é algo específico, em cada caso, ao indivíduo que o fez.

Em algum lugar, portanto, a fisiologia funde-se suavemente à psicossomática, que inclui a fisiologia das mudanças somáticas associada às pressões e tensões da psique. Primeiramente, existem os controles inerentes ao processo de socialização, e mais tarde os controles e inibições patológicos, associados à repressão e a conflitos inconscientes da psique.

Por fim, a psicossomática não nos permite presumir um relacionamento intenso entre a psique e o soma. Na psicossomática, é preciso considerar os estados tão comuns e importantes em que a relação entre a psique e o soma é enfraquecida, ou mesmo rompida.

O estudo detalhado da pediatria psicossomática não pode ser realizado até que seja feita uma exposição completa do desenvolvimento emocional do indivíduo humano.

Ficará claro, então, que para compreender esses distúrbios que de fato formam uma categoria clínica real – ainda que muito ampla – é preciso passar por todos os tipos e graus de distúrbio psicológico, e incluir os conflitos internos inerentes à vida, ao manejo dos instintos e à conciliação pessoal com o impulso, a qual faz parte do processo de socialização gradual de cada indivíduo humano.

Na saúde, há duas grandes correntes da pediatria psicossomática: a corrente da saúde física, que pesquisa as consequências dessa sobre o funcionamento e desenvolvimento da psique; e a da saúde mental, que investiga a ação dessa última sobre o desenvolvimento e o funcionamento físicos.

Na doença, também há duas tendências – a da doença física e seus efeitos sobre o desenvolvimento psíquico, e a da doença psíquica e seus efeitos sobre o desenvolvimento físico.

Para que se possa compreender qualquer uma das questões acima, é preciso estudar uma pessoa em desenvolvimento que esteja fisicamente saudável, pois somente presumindo-se uma *ausência de doenças físicas é* que um estudo tão complexo seria possível. Se supomos a ausência de doenças corporais primárias, podemos passar a examinar o gradual entrelaçar do corpo

4. O CAMPO PSICOSSOMÁTICO

e da psique daquela pessoa, e certos princípios básicos podem então ser formulados.

Sabe-se que o desenvolvimento é normalmente doloroso e pontilhado de conflitos; em vista disso, o corpo acaba por sofrer mesmo quando não existam doenças primariamente físicas.[1] Dessa maneira, o estudo dos distúrbios psicossomáticos deve ser feito pela psicologia, tentando localizar os efeitos dos problemas da psique sobre a parte corporal da pessoa. Esse é o caminho, necessariamente. Os médicos não gostam muito disso. Eles gostariam de poder aplicar seus conhecimentos sobre a doença física diretamente aos distúrbios psicossomáticos. Mas não pode ser assim. O caminho natural é o do estudo dos distúrbios psicossomáticos na criança (ou adulto) que estejam isentos de qualquer doença ou limitação física prévia. Somente mais tarde, depois que o princípio tiver sido compreendido, é que pode ocorrer um entendimento da doença física e seus efeitos sobre a psique. Percebe-se facilmente que a medicina física lembra um país cujas fronteiras são sustentadas artificialmente, a fim de limitar as responsabilidades do médico. A medicina física funde-se naturalmente à medicina psicossomática.

A parte psíquica da pessoa ocupa-se com relacionamentos: os internos, os com o próprio corpo e os mantidos com o mundo externo. Emergindo do que se poderia chamar de elaboração imaginativa de funções corporais de todos os tipos e do acúmulo de memórias, a psique (especificamente dependente do funcionamento cerebral) liga o passado já vivenciado, o pre-

---

[1] *Nota para revisão*: consolidar perspectiva sobre o sentido positivo do distúrbio psicossomático como oposição à fuga para: a) o intelecto; b) estados despersonalizados.

sente e a expectativa de futuro uns aos outros, dá sentido ao senso de si e justifica nossa percepção de que dentro daquele corpo existe um indivíduo.

A psique, desenvolvendo-se dessa maneira, torna-se possuidora de uma posição a partir da qual é possível relacionar-se com a realidade externa; torna-se algo que é capaz de criar e de perceber a realidade externa; torna-se um ser qualitativamente enriquecido, em condições de ir além daquilo que se pode explicar pelas influências ambientais, e capaz não apenas de se adaptar, mas também de se recusar a se adaptar, transformando-se em uma criatura com algo que parece ser capaz de fazer escolhas.

Nada disso aparece automaticamente como um fenômeno ligado ao crescimento. Existe certamente um fator de crescimento inerente, mas a dependência inicial a um ambiente adaptado às necessidades é tão grande que esse fator de crescimento fica encoberto. No desenvolvimento corporal, o fator de crescimento é mais claro; no desenvolvimento da psique, em contrapartida, há a possibilidade de falhas a cada momento, e na verdade é impossível que exista um crescimento sem distorções devidas a algum grau de falha na adaptação ambiental.

O desenvolvimento psicossomático é um feito gradual, e tem seu próprio ritmo, e se o termo "maturidade" pode ser usado como uma referência etária, então maturidade é saúde, e saúde é maturidade. Todo o processo de desenvolvimento tem que ser levado a cabo, qualquer salto ou falha no processo é uma distorção, e um pulo aqui ou um atraso ali deixam uma cicatriz.

Além do mais, nada há a ganhar discutindo-se a data em que começa a pediatria psicossomática, ou a própria natureza humana. A única data segura é aquela da concepção. A data do nascimento é obviamente notável, mas até esse ponto muita

4. O CAMPO PSICOSSOMÁTICO

coisa já aconteceu, especialmente com o bebê pós-maduro, e ao nascer já existe uma individualidade tão marcante que em casos de gêmeos idênticos os enfermeiros experientes percebem imediatamente uma semelhança excepcional de comportamentos. Ao fim de duas semanas, todo bebê já passou por inúmeras experiências inteiramente pessoais. Na idade em que uma adoção se torna relativamente fácil de ser realizada, o bebê já está tão marcado por experiências concretas que os pais adotivos têm problemas de manejo essencialmente diferentes daqueles que teriam se o bebê fosse deles mesmos e estivesse com eles desde o início.

PARTE II

O DESENVOLVIMENTO EMOCIONAL DO SER HUMANO

INTRODUÇÃO

O exame preliminar do âmbito abarcado pela pediatria psicossomática apenas demonstrou a necessidade de se compreender o desenvolvimento emocional do indivíduo. Do lado somático, o pediatra baseia tudo na anatomia e na fisiologia, e do lado psíquico deveria existir uma disciplina equivalente. A psicologia acadêmica não nos fornece a resposta. A única resposta possível é a psicologia dinâmica ou, em outras palavras, a psicanálise.

Será necessário examinar agora o desenvolvimento do psicossoma que, com a mente funcionando, gradativamente transforma-se no indivíduo autoconsciente, uma pessoa não apenas relacionada com o ambiente, mas cedo ou tarde tomando parte na manutenção e recriação desse ambiente. Teremos de presumir a ausência de uma doença física primária até aquele ponto perto do fim, quando se considera que a inclusão dessa complicação adicional é uma parte plausível do todo.

Presumiremos também uma dotação normal de tecido cerebral, já que a deficiência mental e a idiotia são defeitos físicos que apresentam aspectos psicológicos secundários. Intencionalmente, por enquanto a mente será deixada fora de consideração, exceto quanto ao fato de ela ser o que chamei de ornamento no topo do psicossoma.

Seria lógico descrever o desenvolvimento do ser humano desde a concepção, gradualmente prosseguindo através da vida intrauterina, o nascimento, passando pelo bebê mais crescido e pela criança em fase de latência, e depois o adolescente, e mais tarde alcançando o adulto maduro, pronto para ocupar um lugar no mundo, e que depois envelhece e, afinal, morre.

Optei por começar com o período da primeira maturidade, no qual a criança já anda com segurança, tendo relacionamentos

INTRODUÇÃO

interpessoais que já alcançaram um sentido pleno, e o fiz porque posso ter certeza de que o leitor tem uma certa familiaridade com o trabalho de Freud, que localiza a origem da neurose dos adultos nos conflitos que surgem no indivíduo nessa mesma etapa.

A partir de uma apresentação sobre a psicologia dinâmica da primeira infância, darei uns passos para trás, alcançando momentos cada vez mais primitivos, em direção ao desconhecido dos primeiros instantes em que o termo "ser humano" pode ser aplicado ao feto no interior do útero. Posteriormente, será possível ir adiante e examinar as características especiais da fase de latência e da adolescência.

Minha apresentação da psicologia dinâmica se dividirá, então, da seguinte maneira:

1. Relacionamentos interpessoais e complicações decorrentes.
2. Aquisição da unidade pessoal e da capacidade de consideração.
3. As tarefas primitivas de
   - Integração do self;
   - *Modus vivendi* psicossomático;
   - Contato com a realidade por meio da ilusão.

O leitor é convidado a lembrar-se, ao ler uma parte de meu trabalho, de que as outras partes estão sendo deliberadamente excluídas, e não esquecidas. A linguagem de uma parte específica é inadequada para outras.

A dissecação das etapas do desenvolvimento é um procedimento extremamente artificial. Na verdade, a criança está o tempo todo em todos os estágios, apesar de que um determinado estágio pode ser considerado dominante. As tarefas primitivas jamais são concluídas e pela infância afora sua não conclusão confronta os pais e educadores com desafios, embora originalmente elas pertençam ao campo dos cuidados do bebê. Da mesma forma, a pressão sobre a psique à época da mudança da impiedade para a consideração, e quando é adquirida a capacidade de juntar passado, presente e futuro, também interessa muito a pais e professores de crianças de todas as idades, embora inicialmente ela pertença àqueles que cuidam do bebê que está a ponto de ser "desmamado", em condições de lidar com a perda, sem na verdade perder aquilo que (em um certo sentido, apenas) é perdido.

Curiosamente, são justamente esses problemas que começam cedo os que mais interessam ao leitor de um livro sobre psicologia. Os problemas posteriores da criança mais madura, que alcançou as complicações e o enriquecimento das relações interpessoais são, por sua própria natureza, um assunto privado de cada criança, e cada vez menos (à medida que a criança amadurece) uma parte da dependência infantil. É enlouquecedor e inútil dizer aos pais ou educadores (ainda que corretamente) que os sintomas de uma criança têm origem na repressão, que a causa de um distúrbio neurótico é algo de natureza essencialmente inconsciente, e que a única coisa a fazer é levar a criança à psicoterapia (que, na maioria dos casos, ou não estará disponível, ou será cara demais).

A impaciência dos pais e educadores para com as verdades formuladas em termos do complexo de Édipo não representa apenas sua "resistência". Esses fatos (que pertencem principalmente à primeira seção de minha descrição) tendem a fazer as pessoas se sentirem impotentes. O que podem elas fazer? Por contraste, as necessidades da criança que representam resíduos da infância inicial apresentam aos pais e educadores problemas que eles próprios podem tratar, pela ênfase em um ou noutro aspecto dos cuidados com a criança ou da educação.

INTRODUÇÃO

Ainda assim, será aceito o fato de que compreender o que ocorre no interior de uma criança de quatro anos pode ser útil, mesmo que nenhuma ação por parte dos pais ou educadores consiga curar um sintoma. Compreender a criança não é o bastante se a isso não se seguem providências adequadas a suas necessidades e seus objetivos. No entanto, para a criança em meio às agonias do complexo de Édipo, é muito útil ser ao menos compreendida, mesmo que a compreensão produza apenas compaixão em vez de providências concretas.

5

RELACIONAMENTOS INTERPESSOAIS

Primeira parte da exposição

A primeira parte deste estudo da psicologia humana, que tem por objeto os relacionamentos interpessoais, deriva diretamente de trabalhos muito conhecidos realizados nos últimos cinquenta anos, cuja base é o tratamento das neuroses. Essas ideias decorrem quase inteiramente de Freud ou dos que vêm aplicando seu método, que ele denominou psicanálise. Tudo que tenho a dizer já foi dito em algum lugar dessa vasta literatura atualmente disponível. Ainda assim, não me é possível deixar de fazer um explanação em minha própria linguagem, dando ao leitor uma resenha do tema como um todo realizada por um só pessoa.

Essa é a parte da teoria psicanalítica que se tornou aceita por todos os psicanalistas. É a parte que permite a muitos analistas se sentirem fundamentalmente unidos, ainda que divirjam amplamente sobre os desenvolvimentos mais modernos da teoria e da prática, permitindo ao Instituto de Psicanálise, que congrega todos os psicanalistas ingleses, construir e administrar um esquema de formação neste país e dar qualificação para

5. RELACIONAMENTOS INTERPESSOAIS

o exercício da profissão. Existe, portanto, essa base teórica que pode ser ensinada aos estudantes, antes que eles sejam apresentados aos temas que são, ainda, objeto de pesquisa.

Quase todos os aspectos do relacionamento entre pessoas totais foram abordados pelo próprio Freud, e de fato é muito difícil atualmente dar a isso qualquer contribuição, a não ser que se consiga fazer uma exposição original daquilo que já é aceito. Freud fez por nós toda a parte desagradável do trabalho, apontando para a realidade e a força do inconsciente, chegando à dor, à angústia e ao conflito que invariavelmente se encontram na raiz da formação de sintomas, anunciando publicamente, de forma arrogante se necessário, a importância dos instintos e o caráter significativo da sexualidade infantil. Qualquer teoria que negue ou ignore estas questões não nos ajuda.

O problema do desenvolvimento infantil domina – com justiça – o campo da psicologia da criança, e a ideia do desenvolvimento emocional está interligada à do crescimento corporal. Por isso, não é adequado estudar uma *situação atual* em psicologia. Como em história, uma situação atual tem um passado e um futuro que lhe pertencem. Essa é uma observação de importância fundamental, visto que foi por intermédio desse princípio que o psicanalista se livrou das amarras da psicologia acadêmica, da psiquiatria e da medicina.

A presente exposição da psicologia infantil toma por base um desenvolvimento anterior saudável, até o ponto em que se pode dizer: esta criança é agora um ser humano completo, relacionando-se com seres humanos completos. Sabemos que é um tanto artificial presumir tanta coisa. Sabemos também que não existe esse ponto no tempo em que tal descrição possa ser feita de repente. Qualquer estágio no desenvolvimento é alcançado e perdido, alcançado e perdido de novo, e mais uma vez: a superação dos estágios no desenvolvimento só se transforma em fato muito gradualmente, e mesmo assim apenas sob determinadas condições. Tais condições deixam gradativamente de serem vitais, mas talvez nunca deixem de ter uma certa importância. De qualquer modo, é necessário que se presuma um desenvolvimento anterior bem-sucedido. O mais complexo deve desenvolver-se a partir do mais simples.

A afirmação de que uma criança saudável poderia ser inteiramente compreendida com base no estudo das neuroses e de suas origens seria absurda. Não tão absurda, entretanto, seria a afirmação de que, para se estudar a criança saudável, *presumindo-se um desenvolvimento saudável da infância inicial*, um bom caminho seria por meio do estudo da formação de sintomas neuróticos. O motivo é que as defesas organizadas na neurose apontam o caminho para a ansiedade, que não apenas se encontra por trás do sintoma neurótico, mas também fornece a força e a qualidade das manifestações da saúde.

Na análise de adultos, a origem dos sintomas neuróticos pode ser investigada no passado, ao tempo das pressões e tensões do período anterior à latência, quando o adulto era uma criança de dois a cinco anos. Voltamo-nos, portanto, para a criança dessa idade a fim de vislumbrarmos o que é que acontece no percurso do desenvolvimento emocional.

Existe um argumento na forma de extremos teóricos, que poderia ser utilizado para confundir o método aqui proposto. Em um extremo, encontra-se uma infância inicial perfeita, que serve de base para uma infância posterior perfeita, livre de perturbações neuróticas. No outro extremo, está uma infância inicial atravessada por distorções, que torna impossível o crescimento saudável em qualquer idade posterior. Pode-se então argumentar: onde se encontra essa criança que cons-

5. RELACIONAMENTOS INTERPESSOAIS

trói defesas neuróticas? Entre os extremos, e com frequência, encontramos crianças pequenas relativamente sadias com certa tendência a uma doença neurótica que pode ser mantida sob controle por um manejo apropriado, e também crianças com forte tendência à neurose, que certamente apresentarão ao crescer alguma organização sintomática, mas que ainda assim passarão por sadias. Estas dependerão especialmente de um ambiente emocionalmente estável e contínuo. É preciso acrescentar que entre essas últimas e as crianças da categoria denominada psicose estão aquelas que apresentam uma aparente doença neurótica mas que, sob tratamento, revelam tantos distúrbios fundamentais do desenvolvimento emocional primitivo que o termo "psicose" acaba surgindo como o mais adequado.

INFÂNCIA INICIAL	DOIS A CINCO ANOS
1. Perfeita	Distorções neuróticas são improváveis nesta fase
2. Imperfeita	Criação da base para a ansiedade neurótica
3. Desenvolvimento perturbado	Perturbações neuróticas são prováveis
4. Desenvolvimento perturbado	Encobrimento neurótico de um aspecto psicótico, capaz de revelar-se no decorrer de uma psicoterapia ou em momentos de "crise"
5. Desenvolvimento perturbado	Não fornecimento de saúde suficiente para o desenvolvimento de uma doença neurótica consolida o quadro de psicose infantil

Fica subentendido que os fatores hereditários exercem seu papel ao longo dessa classificação, perturbando e distorcendo qualquer clareza que porventura nela houvesse.

O bebê relativamente saudável (maduro para a idade) prossegue rumo ao estágio em que se torna uma pessoa total, consciente de si e dos outros. Um grande número de acontecimentos na vida diária dessa criança deve agora ser deixado de lado, porque se refere às fases anteriores (todas elas) e portanto deixa de interessar à discussão.

A família

Quando chega ao estágio de desenvolvimento em que consegue perceber a existência de três pessoas, ela própria e outras duas, na maioria das culturas a criança é provida de um ambiente familiar. No interior da família, a criança pode avançar, passo a passo, do relacionamento entre três pessoas para outros mais e mais complexos. É o triângulo simples que apresenta as dificuldades e toda a riqueza da experiência humana. No ambiente familiar, os pais fornecem também a continuidade no tempo, talvez uma continuidade desde a concepção da criança até o fim da dependência, que caracteriza o término da adolescência.

Instintos

A chave para a saúde na primeira infância (com as ressalvas feitas acima em relação aos resíduos das fases primitivas) é o INSTINTO. Por essa razão, é necessário examinar de perto o instinto e seu desenvolvimento.

5. RELACIONAMENTOS INTERPESSOAIS

"Instinto" é o termo pelo qual se denominam poderosos impulsos biológicos que vêm e voltam na vida do bebê ou da criança, e que exigem ação. A excitação do instinto leva a criança, assim como qualquer animal, a preparar-se para a satisfação das exigências instintivas quando estas atingem seu clímax. Se a satisfação é encontrada no momento culminante da exigência, surge a recompensa do prazer e também o alívio temporário do instinto. A satisfação incompleta ou mal sincronizada acarreta alívio incompleto, desconforto e ausência de um período de descanso muito necessário entre duas ondas de exigências.

Nesta exposição, não há muita diferença entre os diversos tipos de demanda instintiva, e tampouco há muita diferença entre seres humanos e animais. Não é necessário, aqui, entrar em discussão quanto à classificação dos instintos nem decidir se há um único instinto ou se eles são dois, ou se existem às dúzias. Tudo isto, no momento, é irrelevante.

No bebê e na criança há uma ELABORAÇÃO IMAGINATIVA de todas as funções corporais (desde que exista um cérebro em funcionamento), e isso é tão mais verdadeiro em crianças do que no mais interessante dos animais, que *nunca* é seguro transportar um argumento da psicologia animal para o âmbito humano. É por isso que a psicologia animal é enganosa, a não ser que sua aplicação aos problemas humanos seja feita com a máxima cautela.

Ao estudarmos a excitação instintiva, é bom levar em conta a função corporal mais intensamente envolvida. A parte excitada pode ser a boca, o ânus, o trato urinário, a pele, uma ou mais partes do aparelho genital masculino ou feminino, a mucosa nasal, o aparelho respiratório, a musculatura em geral, ou as axilas e virilhas, suscetíveis a cócegas.

A excitação pode ser local ou geral, e a excitação generalizada pode tanto contribuir para que o bebê se sinta um ser total como ser uma resultante do estágio de integração alcançado no percurso do desenvolvimento.

Pode-se atingir uma espécie de clímax em qualquer lugar, mas em geral ele ocorre em regiões específicas.

Algumas estruturas de excitação revelam-se dominantes, e a elaboração imaginativa de qualquer excitação tende a ocorrer nos termos do instinto dominante. Um fato óbvio: no bebê, é dominante o aparelho responsável pela ingestão, de modo que o *erotismo oral* colorido por ideias de natureza oral é amplamente aceito como característico da primeira fase do desenvolvimento instintivo.

(É preciso lembrar que todas as outras coisas que poderiam ser ditas a respeito dos bebês não estão sendo ditas, no momento, por uma decisão deliberada, a fim de possibilitar a clareza da exposição.)

Existe uma progressão do tipo de instinto ao longo da infância inicial, culminando na dominância da excitação erótica genital e da fantasia que caracteriza a criança que está aprendendo a andar, a qual já percorreu plenamente todos os estágios anteriores. No intervalo entre a primeira fase, oral, e a última, genital, há a variada experimentação de outras funções e o desenvolvimento de fantasias correspondentes. As funções anais e uretrais com as fantasias que lhes são próprias dominam de modo transitório, ou mesmo permanentemente, predeterminando assim um tipo de caráter.

Existe uma progressão da dominância instintiva, de acordo com as funções envolvidas, e também de acordo com as fantasias:

- Pré-genitais;
- Fálicas;
- Genitais.

5. RELACIONAMENTOS INTERPESSOAIS

Primeiro, encontramos no bebê todo tipo de excitação, e até mesmo excitações genitais localizadas, mas não existe ainda a fantasia de natureza genital. Aqui, homem e mulher ainda não são necessariamente desiguais.

Segundo, há o estágio intermediário com o genital masculino ocupando um lugar central, com suas ereções e sensibilizações periódicas. Aqui, o estágio feminino é um fenômeno negativo, e a existência deste estágio marca o divisor de águas entre o bebê do sexo masculino e aquele do sexo feminino.

Terceiro, temos o estágio genital, no qual a fantasia encontra-se enriquecida por incluir tudo àquilo que no adolescente reaparece em termos de atos masculinos e femininos (tais como penetrar, ser penetrada, fecundar, ser fecundada).

No passado, pensou-se que essa progressão do pré-genital ao fálico e ao genital poderia ser aplicada aos estágios primitivos, de modo que o estágio pré-genital fosse ele mesmo dividido em:

Fase pré-genital	oral	oral erótica (sugar)
		oral sádica (morder)
	anal	anal erótica (defecar)
		anal sádica (controlar)
	com	
	uretral erótica e sádica	
	como alternativa variável	

Foi feita uma tentativa de subdividir os estágios ainda mais (Abraham). Seria muito pouco inteligente jogar fora todo esse trabalho teórico sobre a vida instintiva infantil. No entanto, é necessário considerar agora o trabalho mais recente que se refere a esta parte da teoria, apesar de, por enquanto, eu optar deliberadamente pela exclusão de outros modos de exposição. As objeções são as seguintes:

1. Não há certeza de que a fantasia da atividade oral é primeiramente erótica (isto é, sem sadismo, ou pré-ambivalente) e só então sádica, destrutiva e, por assim dizer, ambivalente. É mais correto dizermos que é o bebê que se transforma, sendo impiedoso no início, e tornando-se mais tarde capaz de consideração. A ambivalência tem mais a ver com mudanças no ego do bebê que com o desenvolvimento do id (ou dos instintos).
2. O estágio anal é extremamente variável, e por esta razão é difícil dar-lhe um status equivalente àquele das fases oral e genital. Por exemplo, para um bebê, a experiência anal é erótica por estar associada à defecação em um momento de excitação. Para outro, há um deslocamento do erotismo oral para a experiência anal receptiva, talvez devido à manipulação anal. E para outro ainda, o elemento central é o controle, por causa do treinamento, ou por causa de uma dor anal (fissura), ou pela ocorrência de uma deprivação (perda do lugar especial para defecar).
3. A experiência anal, assim como a uretral, é dominada pela ideia da excreção de alguma "coisa". Essa "coisa" tem uma pré-história. Ela já esteve dentro, e era originalmente um subproduto da experiência oral. Por isso, as experiências anal e uretral implicam muito mais que apenas um estágio no crescimento do id, e tanto é assim que não é possível classificá-las e datá-las com precisão. Não obstante, é verdade que no interior daquilo que chamamos de etapa pré-genital no crescimento do id, o aspecto oral precede os vários aspectos denominados anais (e uretrais).

5. RELACIONAMENTOS INTERPESSOAIS

O erotismo da pele não pode ser incluído neste esquema, visto que ele, parcialmente, consiste em uma extensão dos erotismos oral, anal e uretral, e que uma ênfase excessiva sobre a pele envolve um sofrimento do ego que não está sendo examinado nesta parte do trabalho.

O leitor deve formar uma opinião pessoal sobre estas questões, depois de estudá-las tanto quanto possível através de seu desenvolvimento histórico, que é a única forma de uma teoria, em um dado momento de seu progresso, mostrar-se inteligível e interessante.

Pessoalmente, tenho preferência por este útil diagrama das fases, ainda que ele não se atenha ao assunto, já que vai além do crescimento do id, abordando também o desenvolvimento do ego.

Pré-genital	ingestão	impiedosa / com consideração
Alimentar	excreção	experiências anais / experiências uretrais: "boas" / material excretado: "mau"
Fálica	meninos, e o menino dentro das meninas	
Genital	genital masculina	penetrar / engravidar (ativo)
	genital feminina	ser penetrada / ser engravidada (passivo) / reter e livrar-se

Pode-se verificar que, nas fases da experiência genital madura, o lado feminino da natureza humana apela ao pré-genital de forma que o lado masculino não necessita fazer.

Há algo de essencialmente insatisfatório nesta tentativa de classificar os instintos pré-genitais. Isso se deve ao fato de que estamos examinando o bebê a partir do que sabemos sobre a criança que já é capaz de andar, em vez de olhar para o bebê. Mas neste momento, assim fazemos propositalmente. Estamos tentando estudar a criança que já não é mais um bebê, e que deixou de sê-lo de forma saudável, e que agora está considerando as experiências instintivas de natureza genital, levando em conta que o instinto de natureza genital evolui a partir da pré-genitalidade, e que ele deixa marcas, quando há saúde, e distorções, em casos de doença.

Na elaboração imaginativa das funções genitais fica evidente a importância permanente da pré-genitalidade. Mas não é impossível fazer uma distinção nítida entre a fantasia da experiência fálica e a da experiência genital, tanto no menino quanto no menino dentro da menina. Na primeira fase, a ereção é o elemento mais importante. A ideia é de que aí está uma coisa importantíssima, cuja perda seria terrível. A ereção e a sensibilização surgem ou em relação direta com uma pessoa ativamente amada, ou por meio de ideias de rivalidade, tendo como pano de fundo a pessoa amada. Na segunda fase fálica, há um objetivo mais declarado de penetrar e engravidar, e aqui uma pessoa real é o mais provável objeto do amor. Até que ponto essa pessoa é vista objetivamente é outra questão, que será discutida mais adiante.

Sabemos que na fase fálica o desempenho da criança (o exibir-se) está de acordo com a fantasia, enquanto na fase genital seu desempenho é deficiente, tendo a criança que esperar (até a puberdade, como sabemos) pela capacidade de pôr o sonho em prática. Essa é uma diferença importante, pois ela significa que na fase genital o ego infantil é capaz de lidar com uma tremenda quantidade de frustração. O medo da castração pelo genitor rival torna-se uma alternativa bem-vinda à angústia da impotência.

Não demoramos a perceber que a fase genital reúne dentro de si muito do que é pré-genital, e também muito do que não podemos descrever nos termos deliberadamente utilizados agora. Mas aqui o fato mais importante é a ereção como parte de um relacionamento, associada à ideia de provocar mudanças irreversíveis no corpo da pessoa amada.

A ideia da vagina desenvolve-se na criança pequena com bastante influência dos padrões culturais. A ideia que o menino faz da vagina é dada por seus próprios desejos orais (e anais), e também por algo que corresponde exatamente às sensações e anseios vaginais, pois os desejos apropriados parecem existir no menino, ainda que lhe falte a abertura propriamente dita.

No que se refere às meninas, há um retorno – bem maior que nos meninos – em direção ao pré-genital, ao passo que a genitalidade completa, a gravidez e a capacidade de amamentação ainda são coisas do futuro distante, exceto em sonhos ou brincadeiras. Tudo isso fica associado à capacidade de identificar-se com a mãe e com a mulher, e, nas culturas que promovem desde cedo essa capacidade de identificação (modos de agachar-se etc.), o "menino dentro da menina" pode dar a impressão de estar ausente. Mas o homem dentro da mulher está sempre presente e é sempre importante, tendo como resultado uma sequência de ideias que pode ser descrita pelas seguintes palavras:

Eu tenho um pênis. É claro que vai me crescer um pênis. Eu tive um pênis, estou traumatizada (castigo pela excitação). Posso usar um pênis de forma indireta, algum homem pode agir por mim. Vou deixar o homem me usar. Dessa forma, terei uma deficiência compensada, mas terei de reconhecer que dependo do homem para estar completa.[1] Dessa forma, descubro minha genitalidade feminina verdadeira.

A menina transforma-se em mulher na adolescência ou na idade adulta, mas o caminho é mal pavimentado, e oferece muitas oportunidades para o desenvolvimento em termos homossexuais etc. Por esse modo de descrever a sexualidade feminina, fica claro que há muitos motivos para que a menina se sinta infeliz ou magoada quando os irmãos se exibem, fazendo ela se sentir inferior. Por vezes, ela tenta corrigir sua inferioridade usando todo o seu corpo como um representante do falo, ou encontrando em sua boneca um falo ao invés de um bebê.[2] São instáveis, porém, todas as soluções que aceitam plenamente a perda do pênis na mulher, ou a superioridade do homem em razão de seu falo.

    Nossa cultura tende a reforçar essas crenças especialmente ao deixar de dar um nome e uma importância específica para a abertura genital da menininha. Na língua inglesa, não existe efetivamente um nome para o genital masculino, mas há inúmeros termos comumente utilizados nos ambientes onde se cuida

---

[1] Na fase fálica, o menino está completo, e na fase genital ele depende da mulher para se completar.
[2] *Nota para revisão*: estabelecer a inveja correspondente que o homem sente da mulher.

5. RELACIONAMENTOS INTERPESSOAIS

de crianças. Não existe, porém, nos mesmos ambientes, qualquer reconhecimento verbal da vagina.[3]

A identificação imaginativa com o homem enriquece a percepção que a menina tem da função masculina, e mais tarde fortalecerá sua ligação pessoal ao homem que ela vier a escolher.

Obviamente, na análise da neurose em mulheres é necessário reconhecer integralmente a inveja do pênis. Pode ser difícil chegar na análise à inveja do pênis, e mais ainda quando ela é especialmente ativa. E pode ocorrer uma dificuldade suprema no caso de uma mulher que, no início da análise, não possui consciência alguma da inveja do pênis e que apresenta uma identidade sexual feminina fortemente desenvolvida com base no funcionamento genital feminino, que lhe teria possibilitado até então ser uma boa esposa e ter tido filhos e talvez até netos.

A inveja do pênis como pressões instintuais poderosas na menina e na mulher não pode ser ignorada, mas apesar disso existe sem dúvida uma fantasia e uma sexualidade femininas básicas que têm sua origem na mais remota infância. A vagina torna-se provavelmente ativa e excitável na infância inicial, e com as experiências anais, mas o funcionamento genital feminino verdadeiro tende a permanecer oculto ou até mesmo secreto. Por vezes, o elemento erótico genital torna-se exagerado (como na masturbação compulsiva, que pode ser associada a uma deprivação[4] mesmo na mais tenra idade, às vezes

---

[3] Seria um erro, no entanto, considerar que se trata apenas de uma neurose cultural. Uma cultura que permitisse à garotinha conhecer desde cedo as funções femininas não seria, necessariamente, a melhor amiga dessa menina.

[4] Winnicott diferencia *privation* de *deprivation*. O primeiro diz respeito à privação em termos primitivos: à falta de sustentação

provocando uma hipertrofia da vulva), mas normalmente a fantasia é da ordem do recolher, do guardar em segredo, do esconder. Em termos anais, há uma dificuldade de separar-se das fezes, e, em termos urinários, existe a tendência à retenção, mas no que diz respeito à genitalidade, as ideias alcançam sua expressão máxima por meio da identificação com a mãe ou com meninas mais velhas, que seriam capazes de ter experiências e de conceber. O brincar da menina, na medida em que ela é verdadeiramente feminina, é do tipo que mostra uma tendência à maternagem, e o funcionamento genital feminino propriamente dito não é tão evidente quanto o masculino (tanto em meninos como em meninas). Além do mais, o machucar está mais presente nos sonhos ou brincadeiras masculinos que nos femininos.

A brincadeira "sabe guardar um segredo?" pertence tipicamente ao lado feminino da natureza humana, assim como o lutar e o enfiar coisas em buracos pertencem ao lado masculino. A menina que não sabe guardar segredo não pode ficar grávida. O menino que não sabe lutar ou enfiar um trenzinho no túnel não pode deliberadamente engravidar uma mulher. Nas brincadeiras de crianças pequenas, podemos vislumbrar a elaboração imaginativa de suas funções corporais, especialmente em um tratamento analítico, no qual entramos em contato muito

---

ambiental, de uma mãe-ambiente que daria sustentação ativa para que o sentimento de ser pudesse ser experienciado. O segundo, por sua vez, supõe a experiência de sustentação ambiental e uma perda posterior, gerando a percepção de ter sido roubado ou agredido pela falha do ambiente. Mantivemos, portanto, "privação" para o sentido de "nunca ter tido" e "deprivação" para o de "ter tido e ter perdido". [N. E. de Leopoldo Fulgencio]

5. RELACIONAMENTOS INTERPESSOAIS

íntimo com a realidade psíquica da criança, por meio de sua fala e de seu brincar.

Os leitores habituados à literatura psicanalítica poderão ficar impacientes se estão acostumados a tomar uma declaração da teoria analítica e tratá-la como um pronunciamento definitivo, que nunca será modificado. A teoria psicanalítica está em permanente desenvolvimento, e deve desenvolver-se em um processo natural e um tanto semelhante às condições emocionais do ser humano que esteja sendo estudado. Nada exemplifica melhor a necessidade da perspectiva histórica na leitura da teoria analítica do que aquilo que se refere às raízes precoces da genitalidade feminina.[5]

O estudo da psiconeurose mostra que é impossível deixar de lado a inveja do pênis e a fantasia do "homem castrado" em uma explanação do desenvolvimento da menina. Mas duas décadas atrás a literatura psicanalítica dava a impressão de que não havia lugar, na teoria da psicanálise, para qualquer outra coisa sobre a genitalidade feminina que não a percepção da mulher como um homem castrado.

De fato, o tipo de pronunciamento apresentado nesta seção a respeito do crescimento do id é mais adequado para a descrição do elemento masculino que do feminino. A fantasia e o funcionamento femininos repousam muito mais pesadamente sobre raízes pré-genitais, e é possível que haja mais espaço para a fusão de elementos pertencentes à menina na categoria chamada *mulher*, do que para os elementos pertencentes

---

5   Cf. Ernest Jones "The Early Development of Female Sexuality" [1927], in *Papers on Psycho-Analysis*, London: Alpha, 2019, e Sigmund Freud "A sexualidade feminina" [1931], in *Obras completas*, v. 18, trad. Paulo César de Souza. São Paulo: Companhia das Letras, 2010.

ao menino na categoria *homem*.⁶ Além do mais, uma boa descrição de sexualidade feminina necessita de um conhecimento prévio da fantasia que a menina desenvolve a respeito do interior do próprio corpo e do da mãe, e isto pertence a outro modo de apresentação, que tentarei fazer sob o título de "posição depressiva no desenvolvimento emocional". Por essas razões, qualquer descrição da sexualidade feminina deverá, neste momento, ser menos completa do que a da sexualidade masculina enquanto tentativas de descrever, respectivamente, uma mulher e um homem.

Isto, porém, permanece: na saúde, em algum ponto entre a idade de um ano e meio e dois anos, a menina – assim como o menino – está alcançando um estágio que merece ser descrito em termos de relacionamentos interpessoais envolvendo instintos que já passaram pelas fases pré-genitais e se tornaram genitais tanto em termos de sua localização corporal como no que diz respeito a seu tipo de fantasia. A menina tem em mente um homem quando está genitalmente excitada, e é seu pênis que ela genitalmente deseja.

A feminilidade no menino (bem como a masculinidade) também é fundamental, ainda que variável de acordo com a hereditariedade, as influências ambientais pertencentes ao contexto individual e os padrões culturais mais amplos. É necessário dis-

---

6   Parece-me que as três mulheres que tantas vezes aparecem em mitos e sonhos não possuem equivalente em um trio masculino. Na ideia do relacionamento sexual, cada homem é especificamente ele mesmo naquele momento, enquanto no caso da mulher existe, em um certo sentido, não uma mulher, mas um trio: uma bebezinha, uma noiva de véu e grinalda e uma mulher de idade. Esse tema é demasiadamente amplo para ser discutido aqui.

tinguir entre a capacidade do menino para se identificar com a mulher quanto a sua genitalidade feminina e sua capacidade para identificar-se com a mulher quanto a seu papel de mãe. Essa última é mais aceita em nossa cultura do que a primeira, e também é menos problemática para a genitalidade masculina do indivíduo, pois diz respeito ao tipo de fantasia mais do que à localização de funções corporais.[7]

A ideia de que em todos os seres humanos existe uma bissexualidade, especialmente quando nos referimos à fantasia e à capacidade para a identificação, é geralmente aceita. O fator principal que determina o modo pelo qual a criança crescerá é o sexo da pessoa por quem ela está apaixonada na idade crítica, ou seja, no período que estamos agora considerando, entre a infância inicial e a fase de latência. É muito conveniente quando a sexualidade de uma criança se desenvolve de modo predominantemente congruente com as características da constituição física, quer dizer, quando um menino é predominantemente masculino, e uma menina predominantemente feminina. No entanto, a sociedade tem muito a ganhar tolerando tanto a homossexualidade como a heterossexualidade no desenvolvimento emocional das crianças. Uma forte identificação do menino com a mãe, e até mesmo um comportamento afeminado, pode ter valor quando o desenvolvimento do caráter é satisfatório em outros aspectos. Uma certa masculinidade não só é tolerada nas meninas, como é esperada e até valorizada.

---

[7] *Nota para revisão*: verificar se está clara a questão da homossexualidade normal e do deslocamento do erotismo oral para o ânus na homossexualidade (manifesta).

Relacionamentos amorosos

É possível agora passar ao exame de outros fenômenos que caracterizam esse estágio do crescimento.

A base de tudo é o amor que se desenvolve entre a criança e as outras pessoas. Gradualmente, essas pessoas passam a ser vistas como pessoas, mas isso não significa que elas sejam percebidas de modo inteiramente objetivo. Algumas crianças conhecem desde cedo as pessoas como elas são, enquanto outras são mais subjetivas e quase nada veem, exceto o que estiverem dispostas a imaginar. A criança mais subjetiva corre menos riscos se a figura materna muda; a criança menos subjetiva beneficia-se mais da percepção das características concretas das diferentes pessoas, mas corre um risco maior, pois está sujeita a sofrer mais severamente as consequências de uma perda.

Se vemos a saúde como a ausência de doença neurótica (descontada a hipótese da doença psicótica), então a saúde estabelece-se no manejo do primeiro relacionamento triangular onde a criança é impulsionada pelos instintos de natureza genital recém-surgidos, característicos do período entre os dois e os cinco anos. É desta forma que, pessoalmente, interpreto o complexo de Édipo freudiano para os meninos e o que quer que lhe corresponda nas meninas (Édipo invertido, complexo de Electra etc.). Acredito que alguma coisa se perde quando o termo "complexo de Édipo" é aplicado às etapas anteriores, em que só estão envolvidas duas pessoas, e a terceira pessoa ou o objeto parcial está internalizado, constituindo um fenômeno da realidade interna. Não posso ver nenhum valor na utilização do termo "complexo de Édipo" quando um ou mais de um dos três que formam o triângulo é um objeto parcial. No complexo de Édipo, ao menos de meu ponto de vista, cada um dos componentes do triângulo é uma pessoa total, não apenas para o observador, mas especialmente para a própria criança.

Dessa forma, o termo "complexo de Édipo" possui um valor econômico na descrição da primeira relação interpessoal em que os instintos estão em vigor. Tanto a fantasia como o funcionamento corporal estão incluídos. Na fantasia, o alvo é a união sexual entre o filho e a mãe, o que implica *morte*, a morte do pai. O castigo acontece por meio da castração simbólica da criança, representada pela cegueira do antigo mito. A ansiedade da castração permite à criança continuar viva, ou deixar que o pai viva. A castração simbólica traz alívio, e a cegueira mencionada no mito sugere a ideia daquilo que atualmente denominamos "o inconsciente reprimido". Por meio da castração e do sofrimento, o filho pode alcançar um alívio psicológico, ao passo que, houvesse ele sido morto, não ocorreria o sofrimento, mas ele não estaria em condições de chegar a uma solução, de modo que a tragédia teria se revelado fútil ou improdutiva, um mero drama.[8]

É aconselhável não confiar demasiadamente no mito de Electra, pois em primeiro lugar é preciso colocar a pergunta: ele é apresentado para ilustrar a sexualidade feminina que se desenvolve em um estilo masculino, com a inveja do pênis e o complexo de castração como termos centrais, ou para descrever aquela que se desenvolve mais diretamente a partir da identificação e da rivalidade com a mãe e da elaboração imaginativa da função do órgão genital especificamente feminino? Se é necessário um termo especial, então o "complexo de Édipo invertido" é menos prejudicial, pois reivindica apenas a existên-

---

[8] Já Édipo, no mito, cedo ou tarde, consegue...

cia de outro caminho para a menina, e deixa para a imaginação a tarefa de complementar tudo aquilo que pertence a esse tema.

O complexo de Édipo representa assim a descrição de um avanço na saúde. A doença não deriva do complexo de Édipo, mas da repressão das ideias e inibição das funções que se referem ao doloroso conflito expresso pelo termo "ambivalência", como quando o menino se percebe odiando e desejando matar e temendo o pai que ele ama e em quem confia, porque está apaixonado pela esposa do pai. Feliz e saudável é o menino que chega precisamente a esse ponto de seu desenvolvimento físico e emocional quando a família está intacta, e que pode ser acompanhado em meio a essa constrangedora situação em primeira mão pelos próprios pais, que ele conhece muito bem, pais que toleram ideias, e cujo relacionamento é firme o bastante a ponto de não temerem a tensão sobre as lealdades, criada pelos ódios e amores da criança.

Quando esse estágio é alcançado de modo relativamente aberto (considerando-se um desenvolvimento saudável até então), a criança torna-se capaz de tolerar os sentimentos humanos mais intensos sem construir defesas excessivas contra a ansiedade. As defesas, porém, sempre existirão, e levarão à criação de sintomas. Os sintomas neuróticos são organizações de defesa contra a ansiedade, mais especificamente contra a ansiedade de castração, ansiedade essa que surge dos desejos de morte inerentes ao complexo de Édipo. O anormal aponta para o normal.

6

O CONCEITO DE SAÚDE A PARTIR DA TEORIA DOS INSTINTOS

Alcançamos agora uma posição que nos permite vislumbrar a natureza da criança pequena, do significado de saúde e dos vários fatores – tanto internos como externos – que complicam intrinsecamente os processos básicos do desenvolvimento contínuo.

Elaboração imaginativa da função

A base do desenvolvimento saudável é o crescimento físico e também as transformações no funcionamento dos órgãos infantis devidas à passagem do tempo. Ocorre um deslocamento de ênfase, tal como a da dominância dos processos alimentares para a dominância dos fenômenos genitais. A elaboração imaginativa do funcionamento corporal organiza-se em fantasias, que são qualitativamente determinadas pela localização no corpo, mas que são específicas do indivíduo, por causa da hereditariedade e da experiência. Dependendo de onde estiver a ênfase – na ingestão, na excreção ou mesmo na excitação genital –, a preparação para a experiência orgástica estará ligada ao tipo de fantasia dominante no momento do clímax, seja ele um orgasmo, seja ele de natureza orgástica.

A elaboração imaginativa da função deve ser considerada existente em todos os níveis de proximidade do funcionamento físico propriamente dito, e em todos os graus de distância do orgasmo físico. A palavra "inconsciente", de acordo com um de seus sentidos,[1] refere-se à fantasia quase-física, aquela que está menos ao alcance da consciência. No outro extremo da escala encontra-se a consciência do self e da capacidade pessoal de ter uma experiência orgástica ou funcional. Não pretendo afirmar que minha descrição é satisfatória. É preciso lembrar que, nesta seção, não estou investigando os problemas da estruturação do self, e sim considerando consumado o fato de que esse self já existe.

Ainda que os primeiros estágios do desenvolvimento emocional tenham sido satisfatórios, permanece a necessidade de um longo período de estabilidade do ambiente para que a personalidade possa chegar a um acordo consigo mesma em todos os níveis de consciência.

Psique

A psique forma-se a partir do material fornecido pela elaboração imaginativa das funções corporais (que, por sua vez, depende da saúde e capacidade de um órgão específico: o cérebro). Pode-se dizer com segurança que a fantasia mais próxima do funcionamento corporal depende da função daquela parte

---

[1] Cf. Anna Freud, *O ego e os mecanismos de defesa* [1936], trad. Francisco Settineri. Porto Alegre: Artmed, 2006.

6. O CONCEITO DE SAÚDE A PARTIR DA TEORIA DOS INSTINTOS

do cérebro que, em termos evolutivos, é a menos moderna, enquanto a autoconsciência depende do funcionamento daquilo que é mais moderno na evolução do animal humano. A psique, portanto, está fundamentalmente unida ao corpo por meio de sua relação tanto com os tecidos e órgãos como com o cérebro, bem como por meio do entrelaçamento que se estabelece entre ela e o corpo graças a novos relacionamentos produzidos pela fantasia e pela mente do indivíduo, consciente ou inconscientemente.

Alma

A meu ver, a alma é uma propriedade da psique assim definida, dependendo também ela do funcionamento do cérebro e podendo estar sadia ou doente. Reconheço que essa é uma perspectiva pessoal, que se choca com os ensinamentos de quase todos os sistemas religiosos. Assim, é com toda a modéstia possível que mantenho meu ponto de vista. É muito importante, em termos práticos, que cada ser pensante tome uma decisão pessoal a respeito dessa questão, em vista dos tratamentos modernos de distúrbios mentais por meio da lobotomia, ou seja, da deliberada deformação do funcionamento cerebral *saudável* visando o alívio do sofrimento psíquico.

Àqueles que sustentam o argumento de que a alma é implantada de fora para dentro, em vez de se desenvolver como um atributo pessoal, é natural pensar que a lobotomia não constitui uma violação, sendo assim uma das muitas técnicas para o alívio do sofrimento. Para aquele que considera o termo "alma" (se é que ele tem algum sentido) como implicando algo que cresce no interior do indivíduo, a deliberada deformação da atividade cerebral *saudável* representa um preço alto demais a pagar pelo alívio do sofrimento, visto que ela altera irrevogavelmente a base da existência da psique, aí incluída a alma; após o tratamento, não resta mais nem pessoa, nem psique, nem alma.

De acordo com o meu ponto de vista pessoal, não se pode alegar que o paciente é auxiliado pela lobotomia a partir de um visível alívio de seus sofrimentos. Pode ser que haja uma falha em meus argumentos, mas a questão é tão séria que aqueles que se utilizam da lobotomia como terapia deveriam ser capazes de apontar essa falha. Não basta que eles continuem a relatar a remoção de sintomas e a diminuição do sofrimento observável. O alívio do sofrimento não pode ocorrer *in vacuo*; uma pessoa que sofre pode sentir alívio, mas não me parece possível (a alguém que adote este meu ponto de vista) assumir a responsabilidade por transformar a pessoa que sofre em alguma outra coisa, em um ser humano parcial que não sofre, mas que tampouco é a pessoa que foi trazida ao tratamento.

Ao dissecar a personalidade, faço uso do termo "psicossoma" com a intenção de preservar o relacionamento fundamental que, na saúde, se estabelece e se mantém entre o corpo e a psique. Existe também a mente, uma parte especializada da psique que não está necessariamente ligada ao corpo, embora dependa, evidentemente, do funcionamento cerebral. Damo-nos ao luxo de fantasiar um local, que chamamos mente, no qual trabalha o intelecto, e cada indivíduo localiza a mente em algum lugar, onde ele sente um esforço muscular ou uma congestão vascular quando tenta pensar. O cérebro propriamente dito não é utilizado quando se procura imaginar um lugar para a mente, visto que não há consciência de seu funcionamento; o cérebro funciona em silêncio e não reivindica reconhecimento.

Estados tranquilos e excitados

Ao descrevermos uma criança pequena, é útil distinguir entre os estados de excitação e os de não excitação. Os problemas dos períodos de excitação são claramente determinados pelos instintos, e na linguagem deste capítulo, muito daquilo que ocorre entre uma excitação e outra refere-se ou à preparação para a satisfação do instinto, ou à tentativa de mantê-lo confinado, ou à tarefa de mantê-lo vivo de modo indireto por meio do brincar ou da atuação [*acting out*] de uma fantasia. No brincar, o corpo obtém satisfação ao participar da atuação, e no fantasiar ele a obtém de forma secundária, pelo fato de no fantasiar ocorrerem excitações somáticas localizadas, assim como há fantasia junto ao funcionamento corporal. A masturbação do tipo saudável, comum e relativamente não compulsiva também se destina a manter vivo o instinto na ausência de experiências instintivas. Para as crianças, há ainda mais certeza quanto à frustração da vida instintiva do que na idade adulta, e é em parte por isso que observamos na infância uma valorização maior do brincar e da imaginação criativa.

Na relação triangular entre pessoas, que neste momento estudamos, a criança é sobrepujada pelo instinto e pelo amor. Esse amor envolve mudanças no corpo e na fantasia, e é violento. Um amor que leva ao ódio. A criança odeia a terceira pessoa. Por ter sido um bebê, a criança já conhece o amor e a agressividade, e também a ambivalência e o medo de que aquilo que é amado seja destruído. Agora, finalmente, na relação triangular, o ódio pode aparecer livremente, pois o que é odiado é uma pessoa, que pode se defender e que na verdade já é amada; no caso do menino, trata-se do pai, do genitor, do marido da mãe. O amor pela mãe é liberado, nos casos mais simples, porque o pai transforma-se no objeto do ódio, aquele capaz de sobreviver, castigar e perdoar.

Na saúde, em momentos de excitação máxima, a ansiedade é elevada, mas ainda assim tolerada. Dessa forma, a criança pode recuperar-se da tensão instintiva elevada. É sempre verdadeiro, porém, que torna-se necessário organizar as defesas em consequência de um conflito ou medo fortes demais. A criança neurótica não se mostra muito diferente de outra normalmente saudável, a não ser por ter menos consciência do que está acontecendo, e por isso se encontrar mais forte e cegamente defendida contra o revide.

O complexo de Édipo

É possível, agora, enumerar as várias defesas que a criança pode, nesse estágio, adotar e organizar contra a ansiedade (presumindo-se uma boa passagem pela infância inicial). No mais simples dos casos possíveis, que Freud tomou como base para o desenvolvimento de sua teoria, o menino apaixona-se por sua mãe. O pai é utilizado pelo menino como um protótipo da consciência. O menino interioriza o pai que ele conhece, e chega com ele a um acordo. Mas outras coisas também acontecem, e podemos até enumerá-las. O menino perde um pouco de sua capacidade potencial instintiva, recusando dessa forma uma parte do que ele vinha reivindicando. Até certo ponto, ele desloca seu objeto de amor, substituindo a mãe por uma irmã, tia, babá, alguém menos envolvido com o pai. Até certo ponto, o menino estabelece um pacto homossexual com o pai, de modo que sua própria potência não é mais apenas dele, e sim (por meio da identificação) uma nova expressão da potência do pai, internalizada e aceita. Tudo isso permanece localizado nos sonhos mais profundos, e não está à disposição do menino para ser expresso conscientemente; mas na saúde, esta impossibilidade não é absoluta. Por identificação com o pai ou com a figura paterna, o menino obtém uma potência indireta e uma potência adiada, mas própria, que poderá ser recuperada na puberdade.

O colapso das defesas leva ao surgimento da ansiedade manifesta, viva, seja em pesadelos, seja em comportamentos diversos. A natureza destas manifestações depende não só da fisiologia do medo,[2] mas também do tipo de fantasia consciente ou inconsciente.

Parto do princípio de que a criança rodeada por todos estes riscos é saudável e vive em um ambiente relativamente estável, com a mãe feliz em seu casamento e o pai disposto a fazer sua parte com as crianças, a conhecer seu filho e ter com ele aquele sutil dar e receber tão natural aos pais que, na infância, tiveram uma experiência agradável com seus próprios pais.

A tensão aumenta quando a criança atinge o auge do funcionamento instintivo precoce (em algum momento entre os dois e os cinco anos), e então é resolvida, ou melhor, simplesmente arquivada com a passagem do tempo. Quando é chegado o (assim chamado) período de latência, a criança é liberada da tarefa de ajustar-se à tensão do instinto em desenvolvimento, podendo então se tranquilizar por alguns anos, continuando em seu mundo interno a processar as experiências vividas,

---

[2] Note que existe uma fisiologia do medo, bem como da excitação e do ódio, mas não existe uma fisiologia da ansiedade, já que as manifestações desse fenômeno complexo dependem de um jogo de forças, na fantasia, entre medo, ódio, amor, excitação etc., e esse jogo é próprio de cada indivíduo.

observadas e imaginadas na fase anterior, sob o domínio do instinto genital.

Assim, olhando para a infância sob essa perspectiva, e por outros métodos também, vemos dor, sofrimento e conflito, assim como vemos uma enorme alegria.

Reformulação

Freud descrevia esses fenômenos de um modo hoje bastante conhecido. Ele chamou os impulsos instintivos de "id", e a parte do self que está em contato com o mundo externo ele denominou "ego". Por muitos anos, seu trabalho consistiu em estudar as lutas do ego contra os impulsos do id. Isso implicava submeter a psicologia a um encontro inédito com o id. Por meio de uma técnica que junto ao paciente procurava alcançar o inconsciente (psicanálise), Freud foi capaz de mostrar ao mundo a natureza e a força dos impulsos do id, ou seja, do instinto. Ele demonstrou que o que estava associado a conflitos e emoções intoleráveis tornava-se reprimido, drenando os recursos do ego.

Era fácil dizer-se da psicanálise, naquela época, que ela se preocupava apenas com o intragável, e era comum aos que hostilizaram essa nova investigação da natureza humana acreditar que, para a psicanálise, o id e o inconsciente eram exatamente a mesma coisa. No entanto, o que estava sendo examinado eram as tentativas do ego para conviver com o que nele mesmo havia de id,[3] e para tornar-se capaz de usar a energia do id sem perturbar demais sua relação com o mundo e com o ideal.

---

3   Na teoria psicanalítica, o ego é visto como uma parte do id.

6. O CONCEITO DE SAÚDE A PARTIR DA TEORIA DOS INSTINTOS

Mais tarde, Freud introduziu o termo "superego" para descrever inicialmente o pai internalizado e utilizado pelo menino para controlar o instinto.[4] Freud sabia que isso não poderia ser igualmente dito da menina, mas deixou que essa teoria se desenvolvesse em sua mente, acreditando que com o tempo a questão acabasse se resolvendo; em minha opinião, foi resolvida. Atualmente, a formulação de Freud é considerada excessivamente simples. Mas a clareza com que ele descreve o estágio alcançado pelo menino saudável, que se torna capaz de construir em seu interior um ideal baseado na ideia de uma pessoa real – o pai verdadeiro –, um homem que ele conhece bem na vida real e com quem ele pode chegar a um acordo em sonhos, na realidade interna ou na fantasia mais profunda, conserva seu inegável valor. Isso tudo é possível apenas quando o desenvolvimento da criança prossegue de forma saudável em um ambiente familiar estável.

Com a introdução do conceito de superego, ficou mais claro (do que em seus escritos teóricos anteriores) que a intenção de Freud estava voltada para os problemas do ego, para a ampliação da consciência do ego, para os objetivos e ideais de ego, e para suas defesas contra os impulsos do id. Mas essa foi sempre a preocupação de Freud, e o valor da psicanálise teria sido anulado se a utilização anterior de um termo como o superego houvesse adiado a desconfortável tarefa de apresentar ao ego da humanidade seu id.

O conceito de superego tornou-se mais amplo com o tempo, mas basicamente ele é utilizado para descrever o que quer que fosse construído, incorporado ou organizado no interior do ego

---

4   Cf. Sigmund Freud, *O eu e o id* [1923], in *Obras completas*, v. 16, trad. Paulo César de Souza. São Paulo: Companhia das Letras, 2011.

para fins de controle, orientação, estímulo ou apoio. O controle não se refere apenas diretamente aos instintos, mas também aos complexos fenômenos do ego que dependem da recordação de experiências instintivas e suas respectivas fantasias. Essas questões serão discutidas, de todo modo, em uma seção posterior que trata da "posição depressiva" no desenvolvimento.

Na linguagem da seção atual, o clímax do desenvolvimento emocional é alcançado entre os três e quatro anos de idade. A criança já está, então, inteiramente estruturada em uma unidade capaz de ver os que estão em volta como pessoas totais. Nessa situação, a criança é capaz de ter experiências sexuais genitais, exceto pelo fato de a procriação física da criança humana estar sujeita a um adiamento até a puberdade. Como consequência desse fenômeno endocrinológico de adiamento, o assim chamado período de latência, a criança deve extrair o máximo proveito da identificação com os pais e outros adultos, e deve utilizar as possibilidades de experimentação no decorrer dos sonhos e das brincadeiras, das fantasias com ou sem a inclusão do corpo e dos prazeres corporais obtidos sem a ajuda de outras pessoas. A criança deve empregar os tipos de experiência pré-genital e genital imatura que estão a seu alcance, e deve valer-se ao máximo do fato de que a passagem do tempo, algumas horas ou por vezes alguns minutos, traz alívio para praticamente tudo, por mais intolerável que pareça, desde que alguém familiar e compreensivo esteja presente, mantendo a calma quando o ódio, a raiva, a ira, o desespero ou a mágoa parecem ocupar o universo inteiro.

A sexualidade infantil é algo bem real, podendo estar madura ou não à época em que as transformações da latência aparecem trazendo alívio. Além disso, se a sexualidade de uma criança é imatura, perturbada ou inibida ao final desse primeiro período de relacionamentos interpessoais, assim ela ressurgirá – imatura, perturbada ou inibida – na puberdade.

A sexualidade infantil

Freud percebeu que a sexualidade genital provinha do pré-genital, e chamou a vida instintiva de sexual, exceto onde ela se destinava à autopreservação. Foi criado, assim, o termo "sexualidade infantil", e muitos teriam preferido que Freud não tivesse insistido nessa parte de sua teoria.

Em minha opinião pessoal, foi importante Freud ter ido até o fim na busca das origens da sexualidade genital madura ou adulta, chegando até a sexualidade genital infantil, e mostrando as raízes pré-genitais da genitalidade infantil. Essas experiências instintivas pré-genitais constituem a sexualidade do bebê. É muito fácil modificar um conceito a fim de não ofender ninguém, mas ao mesmo tempo pode-se estar jogando fora um princípio de importância vital. O termo "sexualidade infantil" poderia ter sido relegado à descrição dos exercícios compulsivos de certos bebês deprivados de cuidados e amor, ou seriamente perturbados na capacidade de se relacionar. Seu valor, no entanto, é muito maior para descrever os primórdios de todo o desenvolvimento da vida instintiva. Foi dessa maneira que Freud utilizou o termo. Ainda assim, as opiniões individuais a respeito dessa questão terminológica continuarão divergentes.

É possível e saudável para uma criança de quatro anos estar na fase de relacionamento interpessoal, com pleno uso dos instintos, e com uma vida sexual integral (exceto pelas limitações biológicas já descritas).

Realidade e fantasia

A criança saudável torna-se capaz de ter sonhos plenamente genitais. Nos sonhos por ela lembrados podem ser encontrados todos os tipos de trabalhos do sonho cuidadosamente formulados por Freud. No sonho sem lembrança e sem fim são enfrentadas todas as consequências da experiência instintiva. O menino que toma o lugar do pai não pode evitar o confronto com:

- A ideia da morte do pai, e portanto de sua própria morte.
- A ideia de sua castração pelo pai, ou da castração do pai.
- A ideia de se tornar inteiramente responsável pela satisfação da mãe.
- A ideia de uma formação de compromisso com o pai, em uma linha que perpassa a homossexualidade.

Nos sonhos das meninas, não podem ser evitadas:

- A ideia da morte da mãe e consequentemente a de sua própria morte.
- A ideia de estar roubando da mãe seu marido, seu pênis, seus filhos, e como resultado, a ideia de sua própria esterilidade.
- A ideia de ver-se à mercê da sexualidade do pai.
- A ideia de uma formação de compromisso com a mãe em uma linha que perpassa a homossexualidade.

Quando os pais existem, e também há uma estrutura doméstica e a continuidade das coisas familiares, a solução vem da possibilidade de distinguir entre o que chamamos de realidade e fantasia. Ver os pais juntos torna suportável o sonho de sua separação ou da morte de um deles. A cena primária (os pais

6. O CONCEITO DE SAÚDE A PARTIR DA TEORIA DOS INSTINTOS

sexualmente juntos) é a base da estabilidade do indivíduo, por permitir que exista o sonho de tomar o lugar de um dos pais. Isso não impede que a cena primária, a visão concreta do ato sexual, provoque na criança uma tensão máxima (por ocorrer a uma grande distância de suas necessidades emocionais), e venha a ser traumática, de forma a fazer que a criança forçada a testemunhá-la passe a desenvolver uma doença. As duas afirmativas são necessárias, evidenciando tanto o valor como o perigo da cena primária.

Mesmo pais que em outros níveis tendem a ser satisfatórios podem facilmente falhar nos cuidados dos filhos por não serem capazes de distinguir claramente entre os sonhos da criança e os fatos. Pode ocorrer de eles apresentarem uma ideia como se fosse um fato, ou reagir impulsivamente a uma ideia como se esta fosse um ato. Na verdade, é possível que eles temam mais as ideias que os atos. A maturidade implica, entre outras coisas, a capacidade de tolerar ideias, e quem é pai ou mãe precisa dessa capacidade, que na melhor das hipóteses faz parte da maturidade social. Um sistema social maduro (embora faça certas exigência no tocante à ação) permite a liberdade das ideias e sua livre expressão.[5] A criança só aos poucos alcança a capacidade de distinguir entre sonho e realidade.

A criança saudável não consegue tolerar inteiramente os conflitos e as ansiedades que atingem seu ponto máximo no auge da experiência instintiva. A solução para os problemas da

---

[5] Cf. Donald W. Winnicott, "Algumas reflexões sobre o significado da palavra 'democracia'" [1950], in *Tudo começa em casa*, trad. Paulo Cesar Sandler. São Paulo: Ubu Editora/ WMF Martins Fontes, 2021; e R. E. Money-Kyrle, *Psychoanalysis and Politics*. London: Gerald Duckworth, 1951.

ambivalência inerente surge por meio da elaboração imaginativa de todas as funções; sem a fantasia, as expressões de apetite, sexualidade e ódio em sua forma bruta seriam a regra. A fantasia prova, desse modo, ser a característica do humano, a matéria-prima da socialização e da própria civilização.

O inconsciente

A ideia central em toda esta descrição da criança saudável e da criança neurótica (não psicótica) é a ideia do inconsciente, e os exemplos específicos do inconsciente chamado "inconsciente reprimido".

A ação mais importante do tratamento psicanalítico é aquela exercida junto a pacientes psiconeuróticos, e consiste em trazer para a consciência aquilo que estava inconsciente. Isso é conseguido principalmente por meio da revivência que ocorre na relação entre o paciente e o analista. O psiconeurótico funciona, aparentemente, a partir da consciência, sentindo-se pouco à vontade com o que se encontra fora do alcance dela. O desejo da autoconsciência parece ser uma característica do psiconeurótico. Para essas pessoas, a análise traz um aumento da autoconsciência, e uma tolerância maior para com o que é desconhecido. Já os pacientes psicóticos (e as pessoas normais de tipo psicótico), ao contrário, pouco se interessam por ganhar maior autoconsciência, preferindo viver os sentimentos e as experiências místicas, e até mesmo suspeitando ou desprezando o conhecimento intelectual. Esses pacientes não esperam que a análise os torne mais conscientes, mas aos poucos eles podem vir a ter esperanças de que lhes seja possível sentirem-se reais.

6. O CONCEITO DE SAÚDE A PARTIR DA TEORIA DOS INSTINTOS

No trabalho psicanalítico, o analista é confrontado cotidianamente com evidências inquestionáveis do inconsciente quando o paciente traz inesperadamente para a situação analítica aquilo que anteriormente era inconsciente, e mesmo fortemente recusado. No relacionamento entre o paciente psiconeurótico e o analista constantemente se faz visível um relacionamento especializado que traz a marca da neurose do paciente, e que representa sua doença surgindo pouco a pouco. Este fenômeno é denominado "neurose de transferência". A consequência da análise da neurose de transferência é o aparecimento gradual da doença em si mesma, nas condições altamente especializadas e controladas que o analista propicia e sustenta e pelas quais ele se responsabiliza.

O pecado imperdoável na psicoterapia seria o uso, pelo analista, da relação analítica para sua gratificação pessoal. Este princípio é bem semelhante àquele que se encontra na base do juramento original do médico, que proibia o contato sexual com um paciente. Hipócrates mostrou deste modo o quanto ele compreendia, no ano 400 AEC, o valor de se permitir que o paciente traga para a relação profissional padrões que, na verdade, são pessoais e, como diríamos nós, derivados do complexo de Édipo direto ou invertido, estabelecido originalmente na primeira infância. O que Freud fez, para além disso, foi utilizar a contribuição pessoal do paciente para a relação profissional, em uma tentativa organizada de trazer o passado para o presente, e assim criar condições em que podem ocorrer a mudança e o crescimento onde antes só era possível a rigidez.

Abusar da neurose de transferência seria como seduzir sexualmente uma criança pequena, pois esta não está em condições de fazer verdadeiras escolhas de objeto, não estando ainda livre de um alto grau de subjetividade em suas percepções. Um corolário que daí surge é o de que, para um paciente que foi sexualmente seduzido na infância, torna-se muito difícil acreditar e confiar em um analista exatamente naquele ponto em que o analista seria mais eficaz em seu trabalho. Deve ser assinalado que a análise da psicose de tipo esquizoide[6] é essencialmente diferente da análise do psiconeurótico, porque a primeira exige que o analista seja capaz de suportar a regressão real à dependência, enquanto a segunda necessita de algo diferente: da capacidade para tolerar ideias e sentimentos (amor, ódio, ambivalência etc.), para compreender processos e para demonstrar essa compreensão pela expressão adequada por meio da linguagem (a interpretação daquilo que o paciente está justamente em condições de admitir conscientemente). Uma interpretação correta e oportuna no tratamento analítico produz uma sensação de estar sendo fisicamente segurado no colo, que é mais real (para o não psicótico) do que se a pessoa estivesse sendo concretamente embalada ou segurada no colo. A compreensão penetra mais fundo, e por meio da compreensão demonstrada pelo uso da linguagem o analista sustenta o paciente fisicamente no passado, ou seja, na época em que havia necessidade de se estar no colo, quando o amor significava adaptação e cuidados físicos.

---

6   Psicoses do tipo maníaco-depressivo não fazem parte deste comentário.

6. O CONCEITO DE SAÚDE A PARTIR DA TEORIA DOS INSTINTOS

Resumo

Na saúde existe, portanto, maturidade no desenvolvimento do instinto, alcançada, grosso modo, aos cinco anos, ou seja, antes do fato biológico da latência. Na puberdade, os padrões de desenvolvimento instintivo e de organização defensiva contra a ansiedade, que estiveram presentes no período anterior à latência, reaparecem e determinam em grande parte o padrão e a capacidade instintiva do adulto. Se a organização defensiva contra a ansiedade é mais evidente que os instintos e seu controle consciente e influência sobre a ação e a imaginação, o quadro clínico é mais de psiconeurose que de saúde.

O crescimento continua a ocorrer enquanto a pessoa está viva, especialmente se a pessoa é saudável, mas em termos da qualidade dos instintos, sua disponibilidade e controle, e suas limitações neuróticas, o crescimento é relativamente menor depois do formidável movimento de avanço comprimido dentro dos primeiros anos de vida, quando a família (normalmente) fornece o contexto ideal para que tal crescimento ocorra. Isso é verdade apesar de ocorrerem grandes mudanças na época da puberdade, com transformações endocrinológicas que tornam a procriação, pela primeira vez na vida do indivíduo, parte integrante da função genital de fato.

Esses assuntos, que dizem respeito ao analista em seu trabalho sessão após sessão com os pacientes psiconeuróticos, são importantes para os que estudam a natureza humana. No entanto, é verdade que para aqueles que não estão se preparando para exercer a psicanálise (a maioria de meus leitores), os fenômenos do desenvolvimento instintivo e das defesas contra a angústia de castração serão de pouca importância prática. Se uma criança tem uma fobia, na prática pouco valerá para a professora saber o que seria encontrado se a criança fizesse uma análise, principalmente se levarmos em conta que a análise raras vezes é viável.

Ainda assim, para todos aqueles a quem foi confiado o cuidado de crianças, é útil dispor de toda a compreensão disponível, pois o manejo de crianças pequenas é sem dúvida auxiliado pelo conhecimento das razões que tornam fundamental a presença de um contexto estável. Forças poderosíssimas estão em franca atividade. Entre os dois e os cinco anos, cada criança terá que se entender com a hereditariedade, os instintos, as peculiaridades do próprio corpo e os fatores ambientais bons e maus. Ao mesmo tempo, ela está ocupada construindo relacionamentos pessoais, simpatias e antipatias, uma consciência pessoal e esperanças para o futuro.

Esquema da psicologia do menino nos termos da teoria dos instintos

	Amor à mãe	
Ódio ao pai		Matar ou morrer
Nem matar, nem morrer	Fantasia do fator de tempo[7]	Castrar ou ser castrado
	Ansiedade de castração (intolerável)	

---

[7] *Nota para revisão*: desenvolver na direção da sobrevivência do objeto; origem da fantasia como em meu "The Use of na Object" [1968], in *Psycho-Analytic Explorations*. Cambridge: Harvard University Press, 1989.

Defesas contra a ansiedade – ameaça de castração

Inibição do instinto (fonte do amor)

Abandono do objeto, aceitação de substituto

Identificação com o rival; perda da identidade pessoal

Formação de compromisso homossexual com o rival
(passivo)

Regressão do instinto ao pré-genital
(amor mantido, mas ameaça de castração evitada,
utilização de pontos de fixação ruins)

Regressão à dependência
(amor mantido, amadurecimento abandonado,
utilização de pontos de fixação bons)

Reconhecimento da culpa, organização da expiação (obsessiva)
(logo, o crime é permitido)

Repressão parcial do amor (ou do ódio)
(manutenção da inconsciência)
consequência: desgaste de energia e perda da capacidade
de amar (ou odiar)

Na saúde, a criança é capaz de empregar cada uma ou todas essas defesas (além de outras) contra a ansiedade. A ansiedade não é o anormal, e sim a incapacidade da criança de utilizar várias defesas, ou a tendência especial para utilizar uma única.

Colapso das defesas

Ansiedade:	Pesadelos ou ataques de ansiedade.
Novas defesas:	Exploração de manifestações somáticas de ansiedade com ganho secundário (cf. regressão à dependência).
	Anestesia em vez de repressão; perda do prazer no clímax corporal.
Confusão:	Confusão generalizada entre excitação e ansiedade.
Novas defesas:	Ordem destinada a esconder a confusão (obsessiva).
Retorno do reprimido:	Reaparecimento temporário do amor (ou do ódio), sem pleno reconhecimento.
Novas defesas:	Repressão mais profunda com prejuízos maiores.

E assim por diante.

PARTE III

ESTABELECIMENTO DO STATUS DE UNIDADE

INTRODUÇÃO: DESENVOLVIMENTO EMOCIONAL CARACTERÍSTICO DA INFÂNCIA INICIAL

Na seção anterior, o método de estudo da natureza humana foi determinado pela discussão dos instintos e da progressão dos tipos de dominância instintiva. Muito do que será exposto a seguir refere-se à criança no estágio anterior ao da dominância genital. O estudo dos relacionamentos interpessoais já possui uma linguagem própria, com um conjunto de termos provenientes do trabalho pioneiro de Freud e agora incorporados ao uso corrente.

Nesta seção, que trata do desenvolvimento emocional característico da infância inicial, será utilizado um método descritivo diferente. A criança não será vista como já tendo estabelecido uma relação triangular, mas sim como estando no estágio em que é capaz de formar um relacionamento com apenas uma pessoa além de si (a mãe). Novamente será necessário partir da certeza de que houve um desenvolvimento saudável nas fases anteriores, aquelas que serão examinadas na parte IV. Alguns pontos que até aqui estiveram ausentes serão agora considerados, como a ideia de *valor* na criança em desenvolvimento. A ideia de valor não é paralela à ideia de saúde, mas existe uma ligação entre elas. O valor pode aumentar em qualquer idade, assim como pode diminuir; pode inclusive ocultar-se e permanecer fora do alcance, de modo semelhante ao instinto – que pode ser inibido – e à fantasia – que pode ser reprimida.

Estou descrevendo agora o estágio de desenvolvimento em que o bebê se torna uma unidade, passando a ser capaz de sentir o self (e, portanto, os outros) como inteiro, uma coisa com membrana limitadora, e dotado de um interior e um exterior.

INTRODUÇÃO

Isso, como afirmei anteriormente, responde pela totalidade do desenvolvimento que conduz até esse sentimento de ser um.

Os conceitos da seção anterior eram conceitos intelectuais na mente do observador. Eu havia adotado os conceitos de consciência, de inconsciente e de inconsciente reprimido. Em vez disso, agora seria mais proveitoso utilizar um diagrama, que bem pode ser um desenho infantil. Digamos que uma criança estivesse enchendo um papel de rabiscos, em um movimento de vaivém, e passeasse com o lápis sobre o papel de um lugar a outro, escapando às vezes para fora do papel, por falta de controle; em algum momento, surge algo novo, uma linha que acaba por juntar-se com seu início, formando um círculo um tanto impreciso. A criança aponta e diz: "pato", ou mesmo "Fulano" ou "Beltrana". O diagrama de que precisamos é, de fato, a noção que a criança tem do self, uma esfera, que em um desenho bidimensional é representada por um círculo.

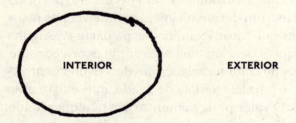

O bebê alcança gradualmente a posição que estou agora examinando. Caracteristicamente, nesse estágio ocorre um progresso nos seguintes termos:

Surge a ideia de uma membrana limitadora, e daí segue-se a ideia de um interior e um exterior. Em seguida desenvolve-

-se a ideia de um EU e de um NÃO EU. Existem agora conteúdos do EU que dependem em parte de experiências instintivas. Desenvolve-se a possibilidade de um senso de responsabilidade pela experiência instintiva e pelos conteúdos do EU, e um sentimento de independência em relação ao que está fora. Surge um sentido para o termo "relacionamento", indicando algo que ocorre entre pessoas, o EU e os objetos. A consequência é o reconhecimento de que há algo equivalente ao EU na mãe, o que implica senti-la como uma pessoa; o seio, então, é visto como parte de uma pessoa.

7

A POSIÇÃO DEPRESSIVA

Consideração, culpa e realidade psíquica pessoal interna

Paralelamente a tudo isso, desenvolve-se a discriminação entre os dois estados, o tranquilo e o excitado. O "ataque" impiedoso ao objeto, deflagrado pelo instinto, cede lugar a um crescente reconhecimento da mãe como a pessoa que cuida do EU, ao mesmo tempo que é a pessoa que oferece uma parte de si para ser comida. Gradualmente vai ocorrendo uma integração entre a forma tranquila de relacionamento e a forma excitada, e o reconhecimento de que ambos os estados (e não apenas um) constituem uma relação total com a mãe-pessoa. E a isso que se denomina "A posição depressiva no desenvolvimento emocional", um estágio importante que envolve o bebê em sentimentos de culpa e consideração para com os relacionamentos, em razão de seus componentes instintivos ou excitados.

As ansiedades da criança são de uma complexidade muito elevada. Existe não só a consideração pelos efeitos sobre a pessoa da mãe por causa dos elementos instintivos no relacionamento entre o EU e ela, duas pessoas, (culpa); mas também a consideração pelas mudanças internas que decorrem das experiências de excitação, e de experiências matizadas pela raiva ou motivadas pelo ódio (ansiedade hipocondríaca). (É preciso acrescentar ainda a ansiedade chamada paranoide, que será discutida em separado.)

É fácil perceber a tremenda quantidade de crescimento que ocorre nesta progressão da impiedade até a consideração, da dependência do EU ao relacionamento do EU, da pré-ambivalência à ambivalência, da dissociação primária entre os estados de tranquilidade e excitação à integração destes dois aspectos do self.

O bebê se vê às voltas com uma tarefa que exige de forma absoluta tanto *tempo* como um *ambiente pessoal* contínuo. A mãe-pessoa sustenta a situação no tempo, enquanto o bebê busca um caminho para alcançar a "posição depressiva", pois na ausência dos cuidados pessoais e contínuos da mãe esse desenvolvimento não pode ocorrer. A resolução desse processo acontece da seguinte maneira.

Podemos considerar axiomático o fato de que o bebê humano é incapaz de suportar o peso da culpa e do medo resultantes de um reconhecimento pleno de que as ideias agressivas contidas no amor instintivo primitivo e impiedoso estão dirigidas à mesma mãe da relação de dependência (anaclítica). Além disso, a criança ainda não progrediu o bastante para fazer uso da ideia de um pai interventor, que tornaria as ideias instintivas mais seguras. A resolução da dificuldade inerente ao estar vivo nesta etapa provém da capacidade para fazer reparações desenvolvida pelo bebê. Se a mãe sustenta a situação dia após dia, o bebê tem tempo para organizar as numerosas consequências imaginativas da experiência instintiva e resgatar algo que seja sentido como "bom" – algo que dá apoio, que é aceitável, que não machuca – e com isso reparar imaginativamente o dano cau-

7. A POSIÇÃO DEPRESSIVA

sado à mãe. Na relação comum entre mãe e bebê, essa sequência de machucar-e-curar repete-se muitas e muitas vezes. Gradualmente, o bebê passa a acreditar no esforço construtivo e a suportar a culpa, e assim se tornar livre para o amor instintivo.

Desse modo, enquanto no início a mãe aceita um alto grau de dependência como natural, o bebê saudável vive independente do pai, que em contrapartida é absolutamente necessário para proteger a mãe, pois de outro modo o bebê se tornará inibido e perderá a capacidade para o amor excitado. O benefício é percebido clinicamente na capacidade do bebê saudável de se deprimir, de carregar sentimentos de culpa até o momento em que a elaboração imaginativa dos últimos acontecimentos no inconsciente tenha produzido o material para alguma coisa construtiva no relacionamento, no brincar ou no trabalho.

Provavelmente, a expressão "posição depressiva no desenvolvimento emocional normal" foi utilizada porque nessa etapa o humor deprimido foi clinicamente constatado. Isso não significa que o bebê normal atravessa um estado de *doença* depressiva. A doença depressiva no bebê[1] é de fato um estado anormal, que em geral não ocorre em circunstâncias de bons cuidados pessoais normais. Em condições favoráveis, portanto, o bebê torna-se capaz de separar o que é bom e o que é mau no interior do self.[2] Surge então um estado interno de grande complexidade. Amostras de seu funcionamento aparecem no brincar e

---

1 Cf. René A. Spitz, "Hospitalism: An Inquiry into the Genesis of Psychiatric Conditions in Early Childhood", in *Psycho-Analytic Study of the Child*, v. 1, 1945, pp. 53-74.

2 As palavras "bom" e "mau" são heranças do passado longínquo; são também úteis para descrever os extremos do que qualquer bebê sente ocorrer dentro de si mesmo — quer se trate de forças, objetos,

especialmente no consultório durante a psicoterapia. Na psicoterapia de uma criança pequena, a sala de brinquedos muitas vezes representa a psique limitada da criança, e o analista é assim admitido ao mundo interno da criança, onde há uma tremenda disputa entre diversas forças, onde reina a magia, e onde o que é bom é constantemente ameaçado pelo que é mau. O mundo interno da criança provoca uma sensação enlouquecedora em quem nele entra. A partir daquilo que ali podemos observar, deduzimos os elementos que compõem o mundo interno dos bebês.

O que é mau é guardado por algum tempo, para ser usado em expressões de raiva, e o que é bom é guardado para servir ao crescimento pessoal, bem como à restituição e à reparação, e para fazer o bem ali onde imaginativamente havia sido feito um mal.

É claro que estou me referindo principalmente aos sentimentos e ideias inconscientes do bebê, aos conteúdos da psique que existem para além dos esforços intelectuais que a criança faz para compreender.

---

sons ou cheiros. Não me refiro aqui ao uso dessas palavras por pais ou babás que pretendem impor ao bebê uma moralidade.

Tudo que se encontra nesta seção provém de meu próprio trabalho. Muita coisa baseia-se no que recolhi dos escritos e ensinamentos de Melanie Klein, e da supervisão que dela recebi. Em muitos aspectos, minha forma pessoal de dizer as coisas é diferente da dela, e estou consciente de que ela discorda de certos detalhes de minha exposição. Não foi meu propósito, entretanto, apresentar suas ideias com precisão, como já o fizeram ela própria, Susan Isaacs, Paula Heimann, Hanna Segal e outros. Minha intenção principal, neste ponto, é a de deixar claro meu total reconhecimento.

7. A POSIÇÃO DEPRESSIVA

Com a mãe (ou mãe substituta) presente e disponível, quer dizer, com o bebê ainda situado em um ambiente adequado para bebês, começa lentamente a se formar um momento de reparação, um momento no qual o bebê utiliza a capacidade que vinha se desenvolvendo nas últimas horas de contemplação ou digestão. Pode ser que o bebê faça algo concretamente (um sorriso, ou um gesto espontâneo de amor, ou o oferecimento de um presente – um produto da excreção – como sinal de reparação e restituição). O seio (corpo, mãe) está agora reparado, e o trabalho do dia se completa. Os instintos de amanhã podem ser aguardados com um medo menor. A cada dia basta seu fardo.

No humor deprimido, pode-se dizer que o bebê (ou criança, ou adulto) amortece toda a paisagem interna, permitindo que um controle desça sobre ela, como uma nuvem, uma cerração ou uma espécie de paralisia. Isso torna possível (com o tempo) a gradual suspensão do controle mágico, permitindo que os resultados da experiência se organizem, pouco a pouco, até que o humor melhore e o mundo interno da criança volte a viver.

Existe outro tipo de depressão, aquela das pessoas esquizoides. Essa resulta mais da despersonalização que do mecanismo mais normal de controle mágico, cuja intenção é curar. O humor deprimido que estou descrevendo está intimamente relacionado ao luto normal, e a toda a questão da reação à perda.[3] O desmame é algo que adquire sentido depois (e não antes) de o bebê alcançar a posição depressiva.

---

3   Esta parte da teoria psicanalítica foi desenvolvida com base em Sigmund Freud, *Luto e melancolia* [1917], in *Obras completas*, v. 12, trad. Paulo César de Souza. São Paulo: Companhia das Letras, 2010.

Como resultado do êxito das ideias e atos reparadores, o bebê torna-se mais audacioso ao se permitir novas experiências instintivas; a inibição diminui e isso leva a consequências ainda mais ricas da experiência instintiva; surge, assim, uma tarefa ainda maior para a próxima fase de digestão ou contemplação, mas contanto que o bebê conte, felizmente, com a existência de um cuidado materno contínuo e pessoal, ele cria uma capacidade de reparação também maior, e a isso segue-se um novo patamar de liberdade na experiência instintiva. Desse modo, estabelece-se um círculo benigno, que forma a base para a vida do bebê por um longo período.

Podemos compreender com facilidade, neste momento, quão importante é a continuidade do relacionamento entre o bebê e a mãe verdadeira (ou sua substituta). Em uma instituição na qual a "mãe" que alimenta de manhã não é a "mãe" que dá o banho e os cuidados à tarde, a capacidade diária do bebê de fazer a reparação é desperdiçada, e o círculo benigno não pode ser construído. Pior ainda: quando a própria alimentação é impessoal e mecânica (e isso pode ocorrer inclusive no próprio lar), não há espaço para o desenvolvimento aqui descrito.

O desenvolvimento da capacidade para a consideração é, portanto, um assunto complexo, e depende da continuidade do relacionamento pessoal entre o bebê e uma figura materna.

7. A POSIÇÃO DEPRESSIVA

DIAGRAMA 1

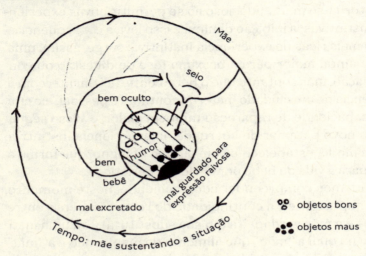

A característica marcante desta teoria do círculo benigno na posição depressiva é a de que ela comporta em seu interior o fato de que, na saúde, o indivíduo em desenvolvimento é capaz de um reconhecimento quase pleno dos fatores agressivos e destrutivos presentes no amor instintivo e das fantasias inerentes a eles. Não devemos esquecer que, na infância inicial, a capacidade de reparação real é muito limitada – se excluirmos a pronta aceitação, pela mãe, da dádiva simbólica – se a compararmos à capacidade do adulto para contribuir socialmente por meio do trabalho. No entanto, os impulsos agressivos e destrutivos do bebê são tão intensos quanto os do adulto. Disso se poderia deduzir, se já não o soubéssemos, que o bebê é mais dependente que o adulto do amor oferecido por outros, de modo que um sorriso ou um ínfimo gesto equivale para ele a um dia de trabalho para o adulto.

110

Repetindo: não é possível a um ser humano suportar a destrutividade que está na base dos relacionamentos humanos, ou seja, do amor instintivo, exceto por meio de um desenvolvimento gradual associado às experiências de reparação e restituição. Quando o círculo benigno é rompido ocorre que:

1. O instinto (ou capacidade de amar) terá que ser inibido;
2. Reaparece a dissociação entre o bebê excitado e a mesma pessoa quando tranquila;
3. O sentimento de tranquilidade não fica mais ao alcance;
4. A capacidade para brincar (e trabalhar) construtivamente é perdida.

Na verdade, a potência e a aceitação da potência não podem ser descritas somente em termos de desenvolvimento instintivo. Em uma descrição teórica do desenvolvimento da capacidade sexual, não é suficiente falar-se apenas em termos de progressão do instinto dominante, já que a esperança na possibilidade de recuperar-se da culpa causada pelas ideias destrutivas é um elemento de importância vital no que diz respeito à potência.[4]

A natureza dos impulsos e ideias destrutivos será discutida mais tarde. O impulso do amor primitivo talvez seja destrutivo

---

[4] Sobre a potência em compasso de espera por um estado depressivo, ver Melanie Klein, *A psicanálise de crianças* [1932], trad. Liana Pinto Chaves. Rio de Janeiro: Imago, 1997; id., "Uma contribuição à psicogênese dos estados maníaco-depressivos" [1934], in *Amor, culpa e reparação e outros ensaios (1921–45)*, trad. André Cardoso. São Paulo: Ubu Editora/ Imago, 2023; e também D. K. Henderson e R. D. Gillespie, *A Textbook of Psychiatry for Students and Practitioners*. London: Oxford University Medical Publications, 1940.

7. A POSIÇÃO DEPRESSIVA

quanto a seu objetivo, ou talvez a destrutividade provenha de inevitáveis frustrações que interferem com a satisfação imediata (ver pp. 117-18 e 188-92).

A assim chamada "posição depressiva" de modo algum deve ser considerada uma questão que só diz respeito aos teóricos e psicoterapeutas. Pais e professores também se preocupam com o processo de estabelecimento desse círculo benigno. É verdade que esse processo se inicia quando o bebê tem apenas alguns meses de idade, período em que a mãe sustenta a situação, fazendo-o bem e com naturalidade, mesmo sem muita consciência do que faz. Esse mecanismo vital de crescimento prossegue sua marcha. A professora que fornece à criança os instrumentos e as técnicas para o brincar construtivo e o trabalho – e também, por meio da avaliação pessoal, um objetivo para o esforço – está na mesma posição de importância ou necessidade daquele que cuida de um bebê. A pessoa que cuida do bebê, e a professora não menos que ela, está disponível para receber o gesto espontâneo de amor dele, capaz de neutralizar suas preocupações, remorsos ou culpa, surgidos em consequência das ideias que se desencadeiam no auge da experiência instintiva.[5] (Isso será reexaminado no estudo das influências ambientais, nas pp. 215-25.)

---

[5] Será mais do que justo dizer que muitos psicanalistas não são favoráveis à utilização do conceito da "posição depressiva". É bem conhecido o fato de que um analista de grande renome (Edward Glover) acredita tão firmemente que a ideia da posição depressiva representa um passo em falso que se desligou da Sociedade Britânica de Psicanálise, embora tenha mantido sua filiação individual à Sociedade Internacional de Psicanálise.

A aceitação da posição depressiva (tenha ela esse ou outro nome) no constructo teórico implica novas e importantes maneiras de encaminhar a descrição da natureza humana.
O mundo interno ou realidade interna do bebê é constituído por três elementos:

1. Experiências instintivas propriamente ditas
    a) Satisfatórias   boas
    b) Insatisfatórias, complicadas por
       raiva devida à frustração   más

2. Objetos incorporados (experiências instintivas)
    a) No amor   bons
    b) No ódio   maus

3. Objetos ou experiências interiorizadas magicamente
    a) Para controlar   mau potencial
    b) Para usar como enriquecimento
       ou controle   bom potencial

Nenhum diagrama é satisfatório, exceto temporariamente e apenas para a pessoa que o constrói. Naturalmente, cada leitor poderá fazer em sua própria linguagem um que seja capaz de descrever o quer que esteja sendo discutido.

Existem diagramas que eu considero muito úteis para o trabalho prático (diagrama 2).

Pode-se notar que o resultado da incorporação funcional do "seio bom" provoca um aumento inespecífico, generalizado, de bondade interna. Em contrapartida, a introjeção do "seio bom" (reconhecível) evidencia sua idealização prévia, e a introjeção nesse caso é mágica e não uma parte da experiência instintiva.

7. A POSIÇÃO DEPRESSIVA

Aqui, há uma importante lição para a professora, já que mesmo em seu trabalho mais bem-sucedido ela não será reconhecível em seus alunos, que irão, por assim dizer, incorporá-la e assimilar suas lições, e crescer para além delas. Por contraste, haverá uma certa introjeção mágica da professora e de suas lições quando ocorrer uma idealização, e isso poderia parecer até bastante agradável, mas a desvantagem é que o aluno não terá crescido no verdadeiro sentido da palavra. Geralmente, em uma sala de aula, existe a feliz mistura desses dois tipos de ensino e aprendizagem.

DIAGRAMA 2

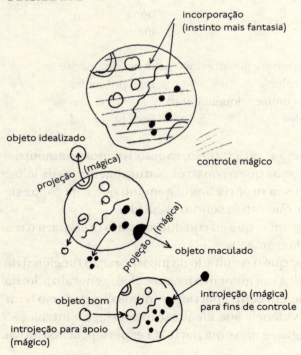

Durante o período de contemplação (depois de uma refeição) existe uma suspensão do instinto e a necessidade de que haja um controle externo das intrusões ambientais. O voltar-se para dentro da fase hipocondríaca acarreta uma certa vulnerabilidade, e isso significa que para que esta fase seja possível o bebê deve receber cuidados suficientemente bons.

No interior da pessoa agem forças tremendas quando, por haver saúde, existe a plena vitalidade. Para termos uma ideia do que ocorre durante o trabalho de reorganização interna após a experiência instintiva, devemos nos remeter às obras dos artistas que (em razão de sua técnica excepcional e sua confiança no próprio trabalho) conseguem alcançar a quase totalidade da força que existe na natureza humana. Um quarteto de cordas de Beethoven da última fase, ou as ilustrações de Blake para o livro de Jó, ou uma novela de Dostoévski, ou a história política da Inglaterra mostram-nos uma parte da complexidade do mundo interno, o entrelaçamento do bem e do mal, a manutenção do que é bom na reserva e o controle, ainda que com total reconhecimento, do que é mau. Essas coisas surgem com força total no mundo interno do bebê (localizado por ele na barriga), embora seja verdade que no decorrer do tempo, enquanto a experiência de vida torna-se mais rica, o mundo interno também se torna mais e mais rico em conteúdo. As forças básicas e o conflito, no entanto, estão presentes desde o início, assim que as experiências instintivas se encontram ao alcance do bebê.

Gradualmente, do interior do mundo interno surge uma espécie de padrão, uma ordem a partir do caos. Esse trabalho não é mental nem intelectual, mas uma tarefa da psique. Está intimamente relacionado à tarefa da digestão, que também se realiza à margem do entendimento intelectual, o qual pode ocorrer ou não.

7. A POSIÇÃO DEPRESSIVA

O bebê que alcançou a estabilidade nesse estágio está agora em condições de livrar-se de algo, manter ou reter aquilo outro, dar um coisa por amor ou outra por ódio. Outra consequência do processo de reorganização interna é a possibilidade de experimentar uma espécie de continuar vivendo, mas vivendo no interior da psique (imaginada como estando na barriga). Desse momento em diante, o crescimento não é apenas do corpo e do self em relação a objetos tanto externos quanto internos; é também um crescimento que se desenrola no interior, como um romance que vai sendo escrito ao longo do tempo, um mundo desenvolvendo-se no interior da criança. Na saúde, existem inúmeras oportunidades de intercâmbio entre essa vida no mundo interno e o mundo externo, no qual se vive e em que há relacionamentos. Cada um enriquece o outro. (O que ocorre na doença é descrito nas pp. 120-23 e 138-39.)

A posição depressiva: recapitulação

1. Considerando todo o desenvolvimento anterior como realizado e bem-sucedido:
2. O bebê ou criança começa em algum momento a sentir que o self tem dimensões limitadas.
3. O self é sentido cada vez mais firmemente como uma unidade.
4. Um objeto externo ao self é sentido como uma coisa inteira.
5. Esse sentimento de integridade do self remete ao mesmo tempo ao corpo e à psique, de modo que no desenho que a criança faz de um círculo como um autorretrato não há discriminação entre corpo e psique.
   (Estou presumindo a figura da mãe sustentando a situação, dia após dia, semana após semana.)

6. Acrescentada a esta totalidade de natureza espacial, surge uma tendência semelhante para a integração do self no tempo. Uma convergência de passado, presente e futuro.
7. A situação agora é propícia para um relacionamento com novas facetas, novas quanto ao fato de o bebê ou criança ter se tornado capaz de ter experiências e de ser modificado por elas, apesar de conservar a integridade, a individualidade e o ser pessoais.
8. Fases excitadas no relacionamento, nas quais os instintos estão presentes, testam a estrutura recém-desenvolvida, especialmente quando o bebê está em seu estado tranquilo, entre excitações, e contempla os resultados da ideia ou da ação excitada.
9. O bebê passa a ter *consideração*:
    a) Pelo objeto do amor excitado;
    b) Pelas consequências, no self, da experiência excitada.

    Essas duas possibilidades estão inter-relacionadas porque é apenas no momento em que o bebê se torna capaz de desenvolver um self estruturado, dotado de riqueza interna, que o objeto amado também passa a ser sentido como uma pessoa estruturada e valiosa.
10. A consideração pelo objeto amado surge a partir dos elementos agressivos, destrutivos e vorazes no impulso de amor primitivo, que é gradualmente assimilado ao self como um todo (juntando-se à personalidade no decorrer do tempo). A criança agora torna-se responsável pelo que aconteceu na última refeição e pelo que acontecerá na seguinte.

    O impulso primitivo era impiedoso, do ponto de vista do observador. Para o bebê, o impulso primitivo é anterior à piedade ou consideração, e só é sentido como impiedoso quando a criança finalmente integra a si própria em uma única pessoa

7. A POSIÇÃO DEPRESSIVA

responsável e olha para trás. A partir do momento em que a integração é alcançada (mas não antes), a criança controla os impulsos instintivos por causa das ameaças a seu movimento impiedoso, que provoca uma culpa intolerável – ou seja, o reconhecimento do elemento destrutivo na ideia excitada primitiva e bruta.[6]

A culpa pelos impulsos amorosos primitivos representa uma conquista do desenvolvimento; ela é grande demais para ser suportada pelo bebê a não ser por meio de um processo gradual que se segue ao estabelecimento do círculo benigno descrito anteriormente. Ainda assim, o impulso de amor primitivo continua a fornecer as bases para as dificuldades inerentes à vida, ou seja, dificuldades próprias das pessoas saudáveis, mais que daqueles que não puderam atingir a "posição depressiva" no desenvolvimento, esse fenômeno específico que permite a

---

[6] Muitos afirmam que o impulso primário excitado não é destrutivo, e sim que a destrutividade passa a fazer parte da elaboração imaginativa através da raiva provocada pela frustração. Uma parte fundamental desta teoria, no entanto, é a onipotência do bebê, de modo que o resultado acaba sendo o mesmo. O bebê sente raiva já que a adaptação à necessidade nunca é completa. No entanto, pessoalmente considero que essa teoria, apesar de correta, não é básica, já que a raiva contra a frustração não surge suficientemente cedo. No momento, encontro-me diante da necessidade de admitir a existência de uma agressividade primária e um impulso destrutivo, que é indistinguível do amor instintivo, apropriado ao estágio muito precoce de desenvolvimento do bebê. [N. A., 1970: Esta é a razão que me impediu de publicar este livro. A questão acabou por resolver-se, para mim, em "O uso de um objeto e a relação por meio de identificações" [1968] (in *O brincar e a realidade*, trad. Breno Longhi. São Paulo: Ubu Editora/ WMF Martins Fontes, 2019).]

experiência plena da consideração. Os psicóticos são portadores de distúrbios derivados de um estágio ainda mais precoce e básico. Suas dificuldades e problemas são especialmente aflitivos. Por não serem inerentes, não fazem parte da vida, e sim da luta para alcançar a vida – o tratamento bem-sucedido de um psicótico permite que o paciente *comece* a viver e comece a experimentar as dificuldades inerentes à vida.

Provavelmente, o maior sofrimento no universo humano é o sofrimento das pessoas normais ou saudáveis ou maduras. Isso não é geralmente reconhecido. A dor, a agonia e a perplexidade manifestas observadas em um hospital para doentes mentais nos dariam sem dúvida um falso indicador. No entanto, é muito frequente os graus de sofrimento serem avaliados desse modo superficial.

11. Consideração pelas consequências das experiências instintivas para o self.

Reconsiderando a repressão

O conceito de repressão essencial a esta teoria da natureza humana, formulada com base na progressão dos instintos dominantes, pode ser agora ilustrado utilizando-se a própria imaginação do bebê. Podemos dizer que certos objetos incorporados, relações entre objetos ou certas experiências introjetadas tornam-se como que *enquistadas,* cercadas por poderosas forças de defesa que as impedem de serem assimiladas ou de alcançar uma vida livre em meio a tudo aquilo que existe no interior do self.

O bebê ou a criança nunca está livre de dúvidas sobre seu self, já que a tarefa da organização interior jamais se completa, e tudo aquilo que é completado é perturbado pela experiência instintiva seguinte.

Portanto, existe um enriquecimento da fantasia a partir de cada nova experiência, e o fortalecimento do sentimento de realidade da experiência. Quando o corpo está envolvido nessas experiências, utilizamos termos como incorporação, excreção ou evacuação, termos que abarcam as ideias de uma elaboração psíquica e de um funcionamento corporal. Quando o perigo proveniente da situação interna é grande, a expressão das funções ou dos instintos não pode esperar por oportunidades propiciadas pela realidade externa, e então têm lugar processos mais mágicos, para os quais utilizamos os termos "introjeção" e "projeção".

O manejo de forças e objetos maus

O fenômeno interno mau que não pode ser controlado, contornado ou excluído transforma-se em um empecilho. Transforma-se em um perseguidor interno e é sentido pela criança como uma ameaça que vem do interior. Muitas vezes ele transforma-se em uma dor. A dor causada por doenças físicas é possivelmente investida das propriedades que denominamos persecutórias. É possível tolerar dores muito intensas, se estas estiverem separadas da ideia de forças ou objetos internos maus. Porém, em uma situação em que há a expectativa de uma perseguição interna, até mesmo distúrbios ou sensações corporais muito pequenos podem ser sentidos como dor; em outras palavras, essas condições provocam o rebaixamento do limiar de tolerância à dor.

Os elementos persecutórios podem se tornar intoleráveis, sendo então projetados, percebidos ou encontrados no mundo externo. Ou existe uma tolerância limitada, caso em que a criança espera por uma situação de verdadeira perseguição vinda do mundo externo, reagindo a ela de forma exagerada, ou então não há tolerância alguma, e a criança alucina um objeto mau ou persecutório; ou seja, um perseguidor é magicamente projetado e reencontrado no mundo externo ao self de forma delirante. Assim, quando existe a expectativa de perseguição, uma perseguição real produz alívio, um alívio devido ao fato de que o indivíduo não precisa se sentir louco ou delirante.

Clinicamente, é comum encontrar esses dois estados alternadamente, ou seja: a perseguição interna (alguma condição intolerável com ou sem base em processos de doença física) e o delírio relativo a uma perseguição externa, com alívio temporário das queixas sobre problemas físicos internos.

Existe um estado clínico no qual a criança está, por assim dizer, a meio caminho entre ser e não ser capaz de manejar ou livrar-se dos maus objetos através da excreção, e fica com medo demais do elemento persecutório que existe nas fezes para poder completar o processo. O sintoma manifesto é normalmente a constipação, com as fezes (endurecidas por terem sido desidratadas enquanto estavam no reto) representando o perseguidor. À época em que essa teoria foi primeiramente proposta,[7] não se sabia que o perseguidor começava a perseguir ainda na barriga, e que na verdade extraía sua qualidade persecutória dos impulsos orais sádicos.

É frequente os pais (e os médicos, os enfermeiros ou as babás) demonstrarem medo das fezes. Esse medo aparece sob forma de

---

7   Cf. J. H. W. van Ophuijsen, "On the Origin of the Feeling of Persecution". *The International Journal of Psychoanalysis*, v. 1, n. 3, 1920, pp. 235–39.

7. A POSIÇÃO DEPRESSIVA

um insistente esvaziamento do reto da criança, seja por meio de laxativos, seja por meio de lavagem ou de supositórios. Uma criança tratada dessa maneira não terá a menor oportunidade de chegar a um acordo com as ideias persecutórias de forma natural. Em contrapartida, a ação dos pais leva facilmente à superestimulação anal; dessa forma, o ânus ganha ênfase especial como órgão erótico e se apodera do erotismo que pertence à boca. O ânus, nessas circunstâncias, pode se tornar mais importante para seu dono como um órgão receptivo aceitável do que como um repassador ou canal de saída do material que não tem mais utilidade, e portanto potencialmente persecutório.

O conhecido interesse da criança pelas fezes e também por substitutos das fezes, inclusive pelo destino das fezes no sistema geral de esgotos, deriva sua força da qualidade potencialmente persecutória existente nas fezes. Algo equivalente a isso pode ser dito em relação à função urinária.

Quando a função genital está plenamente estabelecida, o sêmen pode tornar-se sinônimo de perseguição potencial. Nesse caso é preciso livrar-se dele, para ele não danificar o interior do corpo. Assim, o homem passa a ver o sêmen como mau e não consegue percebê-lo como capaz de levar à concepção de uma criança na mulher amada (mesmo quando isso acontece, e a criança saudável que resultou desse fato está ali, diante de seus olhos). Uma forma mais branda de manifestação desse fenômeno explica a consideração do homem saudável pela mulher que ele engravidou, ou seja, seu sentimento de paternidade.

Na mulher, o equivalente a isso é o sentimento de que o homem só tem a oferecer elementos persecutórios, dos quais ele próprio tem medo, e ela, então, só pode tratar de evitar ser usada pelos esforços do homem para se desvencilhar de seus conteúdos ruins. Dessa maneira, resíduos dos conflitos internos não resolvidos podem causar interferências na potência sexual.

Riqueza e complexidade internas

O mundo interno pode agora ser visto como algo capaz de se tornar infinitamente rico, mas talvez não infinitamente complexo; a complexidade é algo que cresce naturalmente e isto tem um fundamento bastante simples.

O estudo do modo pelo qual a psicoterapia de um tipo ou de outro afeta o mundo interno de uma pessoa pode lançar uma luz interessante sobre o funcionamento do mundo interno em geral e sobre o relacionamento que o indivíduo mantém com esse mundo.

A "posição depressiva" é importante para todos aqueles que se interessam por seres humanos de qualquer idade. Esses assuntos que também dizem respeito ao desenvolvimento emocional muito primitivo não são fenômenos de interesse apenas teórico. Eles são e continuarão a ser a tarefa básica de cada ser humano pela vida afora. As tarefas permanecem as mesmas, mas à medida que o ser humano cresce e se desenvolve, torna-se cada vez mais individual, engajado na verdadeira luta que é a vida.[8]

---

8   Neste ponto foi deixada uma nota manuscrita no texto datilografado: "*Desmame*. Incluir aqui o artigo sobre desmame". É possível que esta nota dissesse respeito ao capítulo "Weaning" [1949] que agora se encontra em Donald W. Winnicot, *The Child, the Family and the Outside World*. Harmondsworth: Penguin, 1964. Outra nota, à margem do parágrafo, dizia: "Reescrever". [N. O.]

8

DESENVOLVIMENTO DO TEMA DO MUNDO INTERNO

Introdução

Nesta descrição, o mundo interno é o mundo pessoal na medida em que ele é sustentado na fantasia, no interior das fronteiras do ego e do corpo limitado pela pele. Esse mundo interno pode agora ser analisado como algo em si mesmo, ainda que, naturalmente, na vida real o mundo interno de uma pessoa esteja sempre sujeito a mudanças correspondentes aos acontecimentos gerados nos relacionamentos externos daquela pessoa, e também aos impulsos instintivos que atingem o clímax, que o fazem apenas parcialmente ou que falham inteiramente em alcançar a satisfação.

O mundo interno é dotado de uma estabilidade própria, mas as mudanças que nele ocorrem estão relacionadas a experiências do self global no mundo dos relacionamentos externos. Experiências insatisfatórias[1] levam à existência e ao fortalecimento de coisas e forças sentidas internamente como más.

---

1   O sentido de "insatisfatório" será discutido mais tarde (ver pp. 155–59 e 181–87).

Enquanto não são contidas, vencidas ou eliminadas, elas agem como perseguidores internos. A criança sabe de sua existência e ameaça por uma sensação de dor ou doença, ou pela diminuição do limiar de tolerância ao desconforto sensorial.

O modo de vida paranoide

Os conjuntos de perseguidores que se constituem em ameaças grandes demais e que não podem esperar até serem excretados (em combinação com experiências instintivas) devem ser eliminados por meio da projeção, ou seja, magicamente. Se existe algo que pode ser percebido como mau no mundo externo imediato, esse algo se torna um perseguidor, e o sistema paranoide da criança fica escondido atrás da reação a essa ameaça externa real. Se nada de ruim está ao alcance, a criança precisará alucinar um elemento perseguidor e fabricar um delírio a respeito das consequências persecutórias. Os indivíduos lentamente aprendem como levar o mundo a persegui-los, de modo a poderem obter alívio da perseguição interna sem estarem expostos à loucura do delírio.

É interessante observar o quanto o modo de vida paranoide pode aparecer cedo, clinicamente falando. A condição de "perseguição esperada" pode se desenvolver depois que a criança viveu alguns anos sem nenhuma tendência persecutória aparente; em casos desse tipo, entretanto, existe um grande trauma ao qual se atribui a mudança – uma concussão, uma operação de amígdalas – ou uma coincidência fortuita de dois ou três fatores adversos. Muitas vezes, é possível, no entanto, fazer um diagnóstico bastante confiável nos primeiros estágios da infância.

8. DESENVOLVIMENTO DO TEMA DO MUNDO INTERNO

O ponto de partida muitas vezes está claro na história do indivíduo, mas a suscetibilidade à perseguição, à suspeita e à animosidade está com frequência presente desde o princípio, no momento em que a mãe falhou (nem sempre por uma culpa que lhe possa ser atribuída) em estabelecer a primeira relação com o bebê e em seus esforços iniciais para apresentar o mundo a ele.[2]

Muitos bebês que parecem apresentar uma disposição hipersensível são levados a um relacionamento mais confiante com o mundo por um cuidado materno prolongado e excepcionalmente adaptado, e muitas vezes é possível, até mesmo com crianças mais velhas sujeitas a fantasias persecutórias, levar a uma melhora de sua condição por meio de um manejo especializado.

Na psicoterapia, as mudanças profundas necessárias surgem através da liberação do sadismo oral reprimido. Isso só pode ser feito por meio de um tratamento psicanalítico pessoal e intensivo.

Depressão e a "posição depressiva"

A depressão como estado de espírito tem muitas causas:

1. A perda de vitalidade devida ao controle do instinto nos primeiros momentos em que a integração começa a funcionar a partir de um estado dissociado.
2. A dúvida normal e saudável, o estado de autodescoberta que se segue às experiências instintivas, antes que um período de

---

2   Ver adiante pp. 155–59 e 181–87.

tempo e de contemplação tenham tornado possível separar o que é bom do que é mau e organizar o padrão temporário que permite gerir os objetos, as forças e os fenômenos internos.

3. A depressão que surge como um estado de espírito quando a dúvida sobre os fenômenos internos é grande demais, a ponto de ser necessário adotar como defesa a descida de um véu obscurecedor sobre a vida do mundo interno como um todo. Isso representa uma exacerbação da causa nº 2, alcançando o grau de um estado patológico.

É preciso notar que há outros sentidos importantes para o termo clínico "depressão". E o conceito da assim chamada "posição depressiva" como um estágio normal do desenvolvimento nos ajuda a elucidá-lo (por exemplo, a depressão que deriva da despersonalização).

A depressão na infância inicial é um fenômeno clínico que já foi bem descrito e não é muito raro; existem no entanto algumas condições mais propriamente físicas que devem ser lembradas no diagnóstico diferencial (envenenamento por chumbo, por exemplo).

Klein (de acordo com o meu ponto de vista) não afirmou que os bebês normais entram em um estado clínico de humor deprimido, ainda que ela soubesse que na doença eles podem vir a fazê-lo. Ela afirmou que a capacidade de se deprimir, de apresentar uma depressão reativa, de sofrer um luto por uma perda não é inata nem constitui uma doença; é alcançada como uma conquista do crescimento emocional saudável, e existe um momento no desenvolvimento de cada bebê saudável em que é possível dizer que essa capacidade ainda não foi alcançada. O nome "posição depressiva no desenvolvimento emocional" foi dado a este estágio do desenvolvimento, e se for encontrado um nome melhor, é perfeitamente legítimo utilizá-lo. O importante é a capacidade do bebê ou do indivíduo de aceitar a responsabilidade pela intenção destrutiva no impulso amoroso total, incluindo a raiva pela frustração, que é inevitável por causa das exigências infantis onipotentes.

A defesa maníaca

Uma certa seriedade, uma dúvida razoável sobre o self, a necessidade de períodos de contemplação e a possibilidade de sentir um desalento temporário são essenciais ao desenvolvimento sadio. Essas condições podem se transformar temporariamente em uma espécie de oposto, como um feriado é o oposto do trabalho.

Na saúde, a depressão é potencial, pertence ao âmago da personalidade e se constitui em uma evidência de saúde. Essa depressão torna-se manifesta na capacidade para uma certa seriedade, e também por meio de dúvidas que podem facilmente tomar a forma de uma vaga doença física. Ela também aparece na forma da depressão recusada, que está oculta na felicidade, na atividade inquieta e na vivacidade em geral, associadas em nossas mentes à ideia da primeira infância; normalmente, na vida total da criança, a oscilação maníaco-depressiva aparece no vaivém da vivacidade infantil pontuada por momentos de extrema aflição, ou por frustração interrompida por fases de extrema alegria.

O humor deprimido dificilmente aparece como tal, exceto no caso específico da criança que sofreu deprivação. Geralmente, a depressão esconde-se por trás de algum tipo de mal-estar que é resolvido pela solicitude materna. A recusa da depressão esconde-se por trás do exagero da vivacidade. O diagnóstico mais frequente na clínica pediátrica é o de "agitação ansiosa comum", que corresponde à condição de "hipomania" nos adultos e que aponta para a recusa da depressão mais profunda. Pode-se dizer que a conquista da capacidade para se deprimir encontra-se ameaçada, e que a criança consegue reter essa capacidade pela organização de uma recusa dela. A alternativa seria um grave retrocesso no desenvolvimento emocional para um estado que existia antes da integração e, portanto, antes da conquista da "posição depressiva"; em outras palavras, a loucura.

Ao observarmos crianças mais velhas, encontramos a doença maníaco-depressiva organizada, muito parecida com aquela que se manifesta em adultos, mas aqui estamos diante de algo raro, ou seja, a doença organizada. A agitação ansiosa comum (hipomania) é (por contraste) um estado clínico que pode ser encontrado em qualquer criança normal, e não existe uma fronteira nítida entre esse estado e a habilidade tão comum nos primeiros anos da criança, um período da vida no qual lágrimas misturam-se a grandes alegrias, e a alegria é diluída muitas vezes pela mágoa.

O elemento central recusado na defesa maníaca é a morte no mundo interno, ou um senso de morte que recai sobre tudo; já a ênfase na defesa maníaca recai sobre a vida, a vivacidade, a recusa da morte como fato básico da vida.

A relação entre as flutuações do estado de ânimo e o núcleo central da capacidade para a consideração tem enorme valor para a compreensão do comportamento infantil normal tanto em casa como na escola.

9
DIFERENTES TIPOS DE MATERIAL PSICOTERÁPICO

Ao realizar um tratamento psicanalítico, estamos constantemente em busca de indícios de quais seriam as fontes principais do material apresentado para interpretação.[1]

A esta altura poderá ser útil ao leitor considerar os tipos de material apresentados pelos pacientes em análise. Esse material pode ser categorizado, ainda que ao conduzir um tratamento o analista esteja sempre disposto a aceitar uma mistura. Em primeiro lugar, é necessário indicar o modo pelo qual o tratamento começa, de maneira a diferenciá-lo com precisão da terapia do brincar e das atividades de grupo de todo gênero. Na psicanálise (excluída a análise adaptada às necessidades do paciente psicótico) o tratamento começa quando é dada a primeira interpretação, trazendo para a consciência algum elemento do material apresentado que seja capaz de ser explicitado, mas não inteiramente aceito pelo paciente.

---

[1] *Nota para revisão*: a psicanálise começa com o paciente + → desenvolver o tema do processo de cooperação inconsciente, crescimento e uso da intimidade, autorrevelação, "surpresas".

Por exemplo: um menino de três anos pega três tijolos e forma um túnel. Em seguida, pega dois trens e faz colidirem no interior do túnel; interpretação: dentro de você há pessoas que se encontram e você as segura e as esmaga ou as mantém separadas; você está me contando sobre o papai e a mamãe e sobre a maneira que eles amam um ao outro ou brigam e você se sente deixado de lado. (Esse menino desenvolveu um ataque agudo de asma no momento em que bateu os trens um contra o outro, e a interpretação, dada nesse caso após três minutos do começo da análise, imediatamente provocou a cessação do ataque.) Deve-se notar que essa não é uma interpretação de transferência; na condição de analista, eu simplesmente apostei, naquele momento tão inicial, na confiança nas pessoas que o menino havia trazido com ele. O menino trouxe para o tratamento certas expectativas baseadas nas atitudes dos pais, às quais ele já estava acostumado, e talvez estivesse também influenciado pelo que lhe haviam dito sobre o tratamento. Ainda assim, no momento em que fiz essa interpretação, o tratamento começou e todo o material subsequente foi influenciado pelo fato de que eu havia entrado na vida do menino como um ser humano que podia colocar as coisas em palavras, lidar objetivamente com a situação cheia de sentimentos, e que podia tolerar o conflito e ver o que é que já estava pronto para se tornar consciente e, portanto, aceitável pelo paciente como um fenômeno do self.

Nesse caso em particular, se a interpretação não tivesse sido feita, o menino teria ido para casa com a asma e o tratamento teria falhado no início. Em muitos casos, entretanto, não há pressa; a criança tem uma noção do tratamento que pode ser utilizada pelo analista, enquanto esse junta informações antes de decidir-se sobre o melhor tipo de interpretação para colocar em movimento o trabalho profundo do tratamento.

9. DIFERENTES TIPOS DE MATERIAL PSICOTERÁPICO

A cooperação do paciente na maioria das vezes é inconsciente, mas o tipo de material apresentado depende da linguagem do analista. O paciente (mesmo jovem) sente prazer quando vê o analista trabalhando com facilidade, e na maioria das vezes pode ser muito facilmente ludibriado.

O material de análise (de crianças ou adultos) pode ser grosseiramente classificado em tipos:[2]

1. Relacionamentos externos tais como se dão entre pessoas totais.
2. Amostras do mundo interno e variações sobre o tema da fantasia, localizada tanto no interior como no exterior.
3. Material intelectualizado com base no qual é possível fazer algum trabalho, mas que precisa ser repetido de outra maneira, acompanhado de sentimentos, na relação transferencial.
4. Material cujo tema central indica a debilidade estrutural do ego e a ameaça de perder a capacidade de se relacionar, e também a ameaça de irrealidade e despersonalização.

1. A análise deste material processa-se de acordo com a linguagem utilizada na primeira seção, com a interpretação do consciente prestes a emergir na situação transferencial; a matéria-prima da análise é a experiência instintiva e a fantasia, que é elaborada em torno da função física. E o objetivo do analista é a diminuição quantitativa da força da repressão. As condições especiais do *setting* analítico permitem ao paciente organizar e socializar o novo potencial resultante da diminuição da intensidade da repressão.

---

[2] *Nota para revisão*: acrescentar a classificação a partir do ambiente.

Como exemplo desse material, tomarei um detalhe da análise do mesmo menino citado anteriormente. Em certa ocasião, ele subiu as escadas para o consultório avisando-me: "Eu sou Deus". Ficou claro que eu seria utilizado como a pessoa má que seria castigada. Rapidamente, ele manobrou a situação a fim de se colocar em pé sobre uma mesa no centro do consultório, enquanto eu estava suficientemente longe para poder impedir que ele me pegasse de surpresa. Apesar do cuidado especial que eu estava tomando, vi-me atingido entre os olhos por uma varinha que ele trouxera escondida. Ele havia se identificado com uma pessoa poderosa e severa de seu mundo interno, e estava me usando para representar a si mesmo como o filho dentro do triângulo edipiano, e eu deveria ser morto. Aqui, novamente, a interpretação teria que ser dada com muita rapidez, antes de quaisquer considerações secundárias, tais como a ideia de que ele deveria estar arrependido por me machucar. No material propriamente dito, não havia lugar para a culpa ou o remorso. Material semelhante, de natureza menos ansiosa, já me havia mostrado o sentido exato daquilo que ocorreu naquele tenso instante, e em outras ocasiões os papéis haviam sido invertidos, situações em que sua ansiedade fora muito grande. Poderia dizer-se a respeito desse material, assim como de qualquer outro, que até certo ponto essa era uma amostra de seu mundo interno. De qualquer maneira, ele consistia basicamente em uma expressão de sua fantasia inconsciente dentro do relacionamento interpessoal, em que tanto ele como eu éramos pessoas totais.

2. Como exemplo de material proveniente do mundo interno apresentado em análise, descreverei o brincar de uma criança no qual a mesa é usada de forma específica, e em que o brincar

9. DIFERENTES TIPOS DE MATERIAL PSICOTERÁPICO

fica, no momento, confinado aos limites da própria mesa. Pressupõe-se a existência de um mundo não representado nessa amostra. Ainda assim, a vida expressa-se aqui como se fosse o capítulo de um romance sendo escrito. Há figuras boas e más sendo representadas, e também representantes de todos os mecanismos de defesa característicos do mundo interno de uma criança que já atingiu a integração e que já assumiu a responsabilidade por uma coleção de memórias, sentimentos e instintos que constituem o self. É possível que estejam acontecendo ali coisas violentas e que os limites sejam ultrapassados, mas a ruptura dos limites é importante como um fenômeno em si mesmo. Com frequência, uma criança pede que o consultório seja escurecido. Fica então bastante óbvio que o analista se encontra no interior da criança, e ali desempenha um papel após outro, de acordo com as instruções dadas pela criança. O mundo é governado pela magia e o controle mágico é representado pelas instruções verbais da criança que controla o analista e que transfigura os objetos do consultório e altera as regras de acordo com seus caprichos. Quando o consultório é transformado de modo que as paredes passam a representar os limites do ego da criança, em certa medida o mundo externo também é alterado pelo fato de estar sendo excluído. Não há transição fácil do interior para o exterior, e o final da sessão transforma-se em um problema que exige um manejo hábil. No caso da criança retraída, o analista penetra em um mundo artificialmente benigno do qual as forças e objetos malignos foram expulsos. Em um caso desse tipo, o analista é envolvido por uma série infindável de atos mágicos, e é estranho para a criança perceber que o analista não sabe o que vai acontecer. A criança pode voar e obviamente espera que o analista a carregue ao redor do consultório até lá em cima, no ninho que fica no alto da estante. Fora do consultório, nesses casos, estão todas as forças persecutórias esperando de tocaia, de modo que o mais leve ruído pode provocar terror. A entrada acidental de uma terceira pessoa no consultório pode ser desastrosa, e o final da hora exige um tratamento muito especial. Esse material relativo ao mundo interno é influenciado pela presença do analista em seu interior, especialmente porque o analista torna-se capaz de compreender rapidamente o que é necessário, e assim pode favorecer a necessidade que a criança tem de controle mágico. O analista retém a objetividade e o sentido de realidade que a criança perdeu, e enquanto desempenha os diversos papéis da forma mais sensível, de acordo com a necessidade, reconhece a necessidade que a criança tem tanto da magia como dos fatos que pertencem à realidade externa. Envolvido por esse material relativo ao mundo interno, o analista tem poucas possibilidades de interpretar os fenômenos com os quais se defronta. No entanto, no decorrer da sessão, há ocasiões em que os detalhes do mundo interno da criança podem ser relacionados a fenômenos que pertencem a seus relacionamentos externos, tanto a sua vida instintiva enquanto ser humano total como à vida com a qual defrontou-se nas últimas 24 horas e que ela havia introjetado.

Ao brincar com uma criança que apresenta esse tipo de material, o analista se dá conta da inadequação do termo "fantasia", que os analistas tentaram burlar soletrando a palavra com "*ph*" ("*phantasia*") para indicar sua natureza inconsciente. Isso não é satisfatório, especialmente porque a fantasia não é inteiramente inconsciente. A ideia de realidade psíquica expressa a compreensão que o analista tem de que a fantasia apresentada pelo paciente é real em seu próprio sentido, e está muito distante daquilo que chamamos de "fantasiar", que até

9. DIFERENTES TIPOS DE MATERIAL PSICOTERÁPICO

certo ponto funciona sob controle da consciência, e do qual os elementos indesejáveis são eliminados. No material da realidade psíquica, não há lugar para a recusa, já que o material a ser eliminado teria que ser colocado em algum outro lugar.

3. Um exemplo de material intelectualizado seriam aquelas fases da análise em que a criança, exatamente como um adulto, relata sonhos, faz perguntas e espera uma discussão objetiva da situação. Em algumas análises, o trabalho é feito predominantemente nesses termos, especialmente com adultos e adolescentes. Mesmo crianças pequenas utilizam o analista dessa maneira de vez em quando, mas esse trabalho é apenas preparatório, referindo-se na verdade à expressão mais direta que surge gradualmente de forma óbvia no brincar da criança pequena. A diferença entre a análise de uma criança e a de um adulto é que com a criança grande parte da atuação [*acting out*] se dá na forma do brincar durante a sessão, ao passo que com o adulto quase toda a atuação ocorre fora da análise, e o trabalho da análise é feito verbalmente. O analista está preparado, no entanto, para encontrar a criança no interior do adulto, bem como encontrar o adulto no interior da criança.

4. Como exemplo de um brincar indicando ansiedade relativa à estrutura do ego, apresento o caso de um menino de seis anos cujas explosões maníacas apontavam para uma violenta desintegração. Ele utilizou uma mesa redonda, colocou casas em volta de toda a borda, assim como outra fileira de casas no interior. Dentro da segunda fileira de casas, quase não havia espaço para vida alguma. Alguém poderia interpretar os detalhes dessa vida, mas a interpretação mais importante estava relacionada com a ênfase muito intensa sobre o corpo ou os

limites do ego. Paralelamente, o menino estava desenvolvendo uma personalidade muito exacerbada. Em outra ocasião, utilizou muitos compartimentos existentes na lareira, colocando uma amostra de seu mundo interno em cada compartimento, de modo que não houvesse relação alguma entre cada uma das amostras (a dissociação como defesa).

Uma menina de seis anos, que com minha ajuda havia se recuperado de uma fase psicótica no ano anterior, pediu para voltar a meu consultório e trouxe a irmã consigo. Enquanto a irmã pegava os brinquedos e brincava como uma criança comum, a menina que havia sido minha paciente fez uma longa fila de casinhas, criando uma rua que se estendia por toda a largura do consultório. Descobri que ela estava ligando minha casa à dela, que ficava a quinze quilômetros de distância, e ao mesmo tempo estava ligando o passado ao presente, indicando a tensão que representou para ela manter o relacionamento comigo durante o ano que transcorreu desde o final de seu tratamento.

O material relacionado ao assentamento da psique no corpo assume muitas formas. Por vezes o corpo é machucado, fica excitado ou é claramente indicado no contexto do brincar. Um contato afetuoso entre o paciente e o analista pode se transformar em um padrão rígido, que precisa ser interpretado porque é produzido com um propósito, assim como qualquer outro material de análise. Brincar de comer um alimento ou comer uma comida de fato trazida para a sessão podem ter o mesmo sentido, ou então podem ocorrer avanços sexuais de uma natureza mais direta. A criança que aprendeu a esperar pela interpretação do material que foi apresentado revela uma surpreendente liberdade para produzir material de qualquer natureza, de acordo com a necessidade do momento.

10

ANSIEDADE HIPOCONDRÍACA

A percepção que o teórico tem do ser humano como uma membrana limitadora com um interior e um exterior é ao mesmo tempo o desenho que um bebê poderia fazer do self ou de outro ser humano. O bebê está preocupado com o interior e com os fenômenos internos aos quais me referi, e também com o corpo e com a psique. É justamente aqui que o termo "psicossomática" começa a ter um significado especial.

Inicialmente, do ponto de vista do bebê, há a simples identidade entre corpo e psique. É nesse ponto que se inicia um estado de coisas em que a *doença* é idêntica à *dúvida* sobre si próprio. Para o hipocondríaco de qualquer idade, o problema é a dúvida, e não a doença. Trata-se de uma questão de equilíbrio entre as forças do "bem" e do "mal", e isso é verdadeiro tanto para o bebê como para o que sofre de distúrbios psicossomáticos, e também para as dúvidas mais sofisticadas do filósofo.

A saúde do corpo, na medida em que ela é percebida ou notada, é traduzida em termos da fantasia, e ao mesmo tempo os fenômenos da fantasia são sentidos em termos corporais. Por exemplo, o sentimento de culpa pode se expressar por meio do vômito, e o vômito (talvez provocado por causas físicas) pode ser sentido como se estivesse traindo o self secreto, e por isso constituísse um desastre. Excluindo-se a doença, a saúde corporal é ativamente reasseguradora para o bebê que está às voltas com dúvidas sobre a psique, e a saúde psíquica promove um funcionamento corporal saudável, garantindo a capacidade de ingerir, digerir e eliminar.

É para este ponto do desenvolvimento que os pesquisadores da psicossomática deveriam se dirigir a fim de examinar as raízes do problema. É aqui que poderá ser encontrada a base para o estudo da vasta questão do inter-relacionamento entre distúrbios físicos e psicológicos. O psiquiatra poderia encontrar aqui a explicação para muitos fenômenos de depressão e hipocondria (e também de paranoia – ver adiante), ao mesmo tempo que ele encontra na psiquiatria da infância inicial uma espécie de psiquiatria relativamente pouco perturbada pelos fenômenos secundários da doença "mental" ou das formações "intelectuais" secundárias. O psicanalista naturalmente observa essa área com o máximo de interesse; no estudo da histeria de conversão há algo a ganhar com o exame da confusão original que o bebê faz entre o corpo propriamente dito e os sentimentos e ideias a respeito do corpo.

PARTE IV

DA TEORIA DOS INSTINTOS À TEORIA DO EGO

INTRODUÇÃO: DESENVOLVIMENTO EMOCIONAL PRIMITIVO

De modo um tanto artificial, proporei três linguagens diferentes para a descrição dos fenômenos precoces do desenvolvimento emocional.[1] Em primeiro lugar, discutirei

1. O estabelecimento da relação com a realidade externa;

    então

2. A integração do self como unidade a partir do estado de não integração;[2]

    e então

3. O assentamento da psique no corpo.

Não me foi possível encontrar uma sequência óbvia no desenvolvimento que possa ser utilizada para determinar a ordem da descrição.

É preciso notar que quanto mais caminhamos para trás em nosso estudo do desenvolvimento do ser humano, ficamos cada vez mais óbvia e profundamente envolvidos no estudo do ambiente, o que em termos de psicoterapia significa o manejo.

---

[1] Para uma apresentação alternativa deste tema, ver Donald W. Winnicott, "Desenvolvimento emocional primitivo" [1945], in *Da pediatria à psicanálise*, trad. Davy Bogomoletz. São Paulo: Ubu Editora/WMF Editora, 2021.
[2] *Nota para revisão*: Não integração ↔ integração.

INTRODUÇÃO

Mas para maior clareza, decidi lidar com este vasto assunto, o fator externo, em um capítulo específico (pp. 215-25), uma vez que qualquer que seja o grau de importância que atribuirmos ao ambiente, o indivíduo permanece e dá sentido ao ambiente.

11

ESTABELECIMENTO DA RELAÇÃO COM A REALIDADE EXTERNA

Relacionamento excitado e relacionamento tranquilo

Seria interessante separar dois aspectos deste tema, o relacionamento "excitado" e o relacionamento "tranquilo".
Por todo o tempo, tivemos em mente um bebê. Imaginemos então uma primeira experiência de amamentação teórica. Aqui está um bebê com uma crescente tensão instintiva. Desenvolve-se uma expectativa, um estado de coisas no qual o bebê está preparado para encontrar algo em algum lugar, mas sem saber o quê. Não há expectativa semelhante no estado tranquilo ou não excitado. Mais ou menos no momento certo, a mãe oferece o seio.[1]
Se a mãe é capaz de se preocupar com sua tarefa, ela é capaz de fornecer um contexto para o início do relacionamento excitado, porque ela está biologicamente orientada exatamente para essa tarefa.
Essa primeira amamentação teórica é também a primeira amamentação de fato, exceto que a experiência real é menos

---

[1] O assunto já é complexo o bastante, e eu não o tornarei ainda pior levando em consideração os substitutos do seio e da mãe.

II. ESTABELECIMENTO DA RELAÇÃO COM A REALIDADE EXTERNA

um acontecimento singular e mais uma construção do evento a partir da memória. É possível dizer que devido à extrema imaturidade do bebê recém-nascido, a primeira amamentação não pode ser significativa como experiência emocional. No entanto, não há dúvida de que se a primeira amamentação ocorre satisfatoriamente, estabelece-se um contato, de modo que o padrão das amamentações se desenvolve a partir dessa primeira experiência. A tarefa da mãe é então enormemente simplificada. Ao contrário, se as primeiras amamentações são malconduzidas, pode ocorrer uma longa série de problemas. De fato, um padrão duradouro de insegurança no relacionamento pode ter sua origem na época da falha inicial no manejo do bebê.

Nessa primeira amamentação (teórica), o bebê está pronto para criar, e a mãe torna possível para o bebê ter a ilusão de que o seio, e aquilo que o seio significa, foram criados pelo impulso originado na necessidade.

DIAGRAMA 3

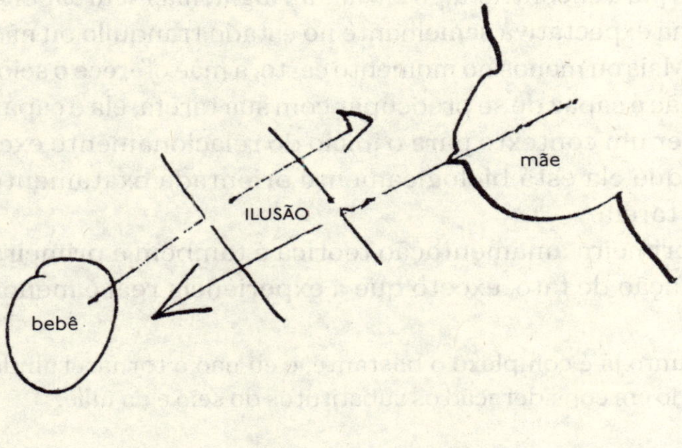

Obviamente, na condição de filósofos sofisticados, sabemos que aquilo que o bebê criou não foi aquilo que a mãe forneceu, mas a mãe, por sua adaptação extremamente delicada às necessidades (emocionais) do bebê, está em condições de permitir que ele tenha essa ilusão. Se ela não for suficientemente "boa" nesse sentido, o bebê não terá qualquer esperança de tornar-se capaz de manter relacionamentos excitados com objetos ou pessoas naquilo que nós, como observadores, chamamos de mundo real, externo ou compartilhado, ou seja, o mundo não criado pelo bebê.

No princípio, existe uma adaptação quase perfeita à necessidade, permitindo ao bebê a ilusão de ter criado os objetos externos. A mãe gradualmente decresce em sua capacidade de adaptação às necessidades (emocionais), mas o bebê tem meios e modos de lidar com essa mudança. É enganoso pensar no estabelecimento do sentido de realidade do bebê como um produto da insistência da mãe quanto à natureza externa das coisas do mundo externo. Na linguagem deste capítulo, as palavras-chave são "ilusão" e "desilusão". A ilusão deve surgir em primeiro lugar, e depois dela o bebê passa a ter inúmeras possibilidades de aceitar e até mesmo utilizar a desilusão.

Essas experiências excitadas são realizadas contra um fundo de tranquilidade, no qual existe outro tipo de relacionamento entre o bebê e a mãe. Estamos lidando com um bebê em estado de elevada dependência e absolutamente inconsciente quanto a essa dependência. É legítimo simplificarmos a situação examinada presumindo que a mãe está presente, pois o ambiente que ela cria é uma parte essencial da dependência. Sempre que existe a dependência total existe também a adaptação perfeita; ou, dito de outro modo, a falha da adaptação materna provoca uma distorção nos processos de vida individual do bebê. A mãe foi responsável pelo ambiente no sentido físico do termo antes

II. ESTABELECIMENTO DA RELAÇÃO COM A REALIDADE EXTERNA

do nascimento, e após o nascimento a mãe continua a prover o cuidado físico, o único tipo de expressão de amor que o bebê pode reconhecer no princípio. Inúmeros ensaios e erros de adaptação já ocorreram ao tempo em que poderíamos postular uma primeira amamentação teórica. No momento dessa primeira amamentação teórica o bebê já tem certas expectativas e algumas experiências, que em maior ou menor medida complicam a situação. Se as complicações não são grandes demais, ocorre algo muito simples. É difícil encontrar as palavras exatas para descrever esse simples evento; mas podemos dizer que em razão de uma vitalidade do bebê e por meio do desenvolvimento da tensão instintiva o bebê acaba por esperar alguma coisa; e então há um movimento de alcançar algo, que pode rapidamente tomar a forma de um movimento impulsivo da mão ou da boca em direção a um suposto objeto. Creio que não será inadequado dizer que o bebê está pronto para ser criativo. Haveria a alucinação de um objeto, se houvesse material mnemônico para ser usado nesse processo de criação, mas isso não pode ser postulado considerando-se que é uma primeira amamentação teórica. Aqui, o ser humano encontra-se na posição de estar criando o mundo. O motivo é a necessidade pessoal; testemunhamos então a gradual transformação da necessidade em desejo.

A mãe que foi capaz de satisfazer as necessidades mais primitivas pelo simples cuidado físico possui agora uma nova função. Ela deve ir ao encontro do momento criativo específico, e saber disso através de sua própria capacidade para identificar-se com o bebê e pela observação de seu comportamento. A mãe está esperando ser descoberta. E não é preciso que ela reconheça intelectualmente o quanto é importante que o bebê a crie para que ela possa fazer sua parte e ser criada por cada bebê novamente.

A mãe que acabou de atravessar uma experiência estafante tem a sua frente uma tarefa extremamente difícil. Ela própria precisa estar dotada de um tipo de potência especial, pois nem um seio cheio demais nem um seio inteiramente inerte serão perfeitamente apropriados. Ela será muito ajudada pela experiência da potência genital de seu parceiro. De um modo ou de outro, ela consegue estar pronta com o potencial de excitação que em algum momento resultará na produção de leite. Não se espera que ela seja perfeitamente pontual em sua adaptação nesse instante. Felizmente, o bebê não precisa de um padrão de comportamento muito rígido. Se tudo vai bem, o bebê estará pronto para descobrir o mamilo, e isso em si mesmo é um tremendo acontecimento, independente do ato de mamar. É muito importante do ponto de vista teórico que o bebê *crie* esse objeto, e o que a mãe faz é colocar o mamilo exatamente ali e no momento certo para que seja seu mamilo que o bebê venha a criar. Não há dúvida de que é muito importante para a mãe que o bebê descubra o mamilo dessa forma criativa. Uma inauguração tão delicada do relacionamento exige certas condições, e é preciso admitir que as condições apropriadas em geral estão ausentes, em razão da tendência generalizada nas maternidades de ignorar esse início tão fundamental e tão vital do relacionamento entre o bebê e aquilo que nós já conhecemos como sendo o mundo em que o bebê viverá.

Mesmo que a capacidade do bebê para os relacionamentos excitados seja construída por meio da soma das amamentações (e de outros tipos de experiências excitadas), em uma discussão teórica a primeira amamentação ainda constitui o protótipo, e na prática deveríamos dirigir nossos esforços a melhorar a forma como é tratada a primeira amamentação.

II. ESTABELECIMENTO DA RELAÇÃO COM A REALIDADE EXTERNA

Quando tudo vai bem, o relacionamento pode se estabelecer em poucos momentos. Mas, em contrapartida, quando existe uma dificuldade, a mãe e o bebê podem levar muito tempo até conseguirem se entender um com o outro, e não é incomum que ambos falhem desde o princípio, e assim sofram as consequências dessa falha; por muitos anos, e às vezes para sempre.

Devemos esperar certa percentagem de falhas, já que há bebês de todos os tipos e as mães nem sempre estão prontas no momento certo para o exercício da potência de seu seio. Ainda assim, não é nada incomum que uma falha nesse ponto, desastrosa para o desenvolvimento do bebê, seja desnecessária; o bebê estava pronto e a mãe estava pronta, mas as condições não eram satisfatórias, ou então alguém interfere. Aqui nos deparamos com a psicologia dos médicos e dos enfermeiros empenhadas em cuidar das mães que acabaram de dar à luz e dos próprios bebês recém-nascidos. Não há treinamento específico de enfermeiros especializados nessa etapa precoce da vida do bebê e na assistência às mães nas primeiras semanas após o parto. É visível que a questão do relacionamento inicial entre o bebê e a mãe suscita grande ansiedade em muitas mulheres comumente saudáveis. Seria difícil explicar de outro modo a frequência com que muitos enfermeiros, que em outros sentidos são competentes e gentis, tendam a assumir responsabilidades que deveriam ser da mãe, tomando as rédeas da situação e tentando forçar os bebês em direção ao seio. É muito comum encontrarmos enfermeiros que, com a melhor boa vontade do mundo, pegam um bebê bem embrulhado em um cobertor, a ponto de ficar com as mãos presas, e empurram sua boca para o seio declarando abertamente que estão decididos *a fazer o bebê mamar*.

Aqui, mais que em qualquer outro lugar, a teoria e a prática chegam exatamente ao mesmo ponto. A maioria desses enfermeiros fica ansiosa não porque eles sejam neuróticos, mas porque ninguém lhes disse nada sobre o bebê criar o seio, ou sobre a inclinação específica da mãe para a tarefa de adaptar-se à necessidade, para a arte de dar ao bebê a ilusão de que aquilo que é criado a partir da necessidade e por meio do impulso tem existência real.

É preciso acrescentar que certa parcela de enfermeiros compreende essa questão instintivamente e tem grande prazer em criar condições nas quais o bebê e a mãe possam encontrar um ao outro.

Trata-se de uma questão inteiramente prática. A maneira de fazer o bebê se inibir quanto a mamar o seio, e na verdade quanto à alimentação em geral, é apresentar o seio ao bebê sem lhe dar qualquer chance de ser o criador do objeto que precisa ser encontrado. Talvez não exista outro detalhe específico que o psicólogo possa ensinar e que, se aceito, teria consequências mais profundas sobre a saúde mental dos indivíduos e da comunidade do que essa questão da necessidade que o bebê tem de ser o criador do mamilo do seio da mãe. Além do mais, não se trata apenas de uma questão da saúde mental futura do novo indivíduo.

Pode ser que as palavras empregadas acima não estejam corretas. Talvez o verbo "criar" possa ser substituído por outra palavra, que seja mais bem compreendida e aceita por todos. Mas as palavras não importam. É preciso encontrar os meios de atrair a atenção dos que estão encarregados dos bebês recém-nascidos para a tremenda importância dessa experiência inicial de um relacionamento excitado entre o bebê e sua mãe. Existem dificuldades intrínsecas. Os enfermeiros e os médicos são vitalmente importantes para a mãe, pelo que cada um deles pode fazer por ela, tornando o trabalho de parto mais seguro e ajudando-a fisicamente em um momento em que ela se encontra inteiramente esgotada. Eles possuem suas próprias técnicas, aprendidas lenta e arduamente. Não há razão pela qual esses mesmos médicos e enfermeiros não sejam capazes de dar à mãe a função que é dela e apenas ela pode executar. Tudo que o enfermeiro pode fazer nessa situação é fornecer as condições em que a mãe pode se colocar com o máximo de sua sensibilidade. O que a mãe necessita é da chance de ser natural e de encontrar seu caminho junto ao bebê, da mesma forma como outras mães encontraram seus próprios caminhos desde o alvorecer da história humana, e até mesmo antes da evolução humana a partir dos mamíferos.

Ver-se-á que do ponto de vista do enfermeiro, o contato inicial entre o bebê e sua mãe pode parecer apenas uma brincadeira. E, de fato, podemos dizer que mãe e filho estão brincando, ao passo que um enfermeiro de plantão tende a acreditar que ali se precisa, mesmo, é de trabalho. No entanto, o bebê não necessita imediatamente de leite, e esse é um fato bem conhecido em pediatria. O bebê que descobriu o mamilo, e cuja mãe está em condições de colocar o mamilo perto da mão ou da boca no momento preciso, é capaz de levar um certo tempo, se assim lhe aprouver, até começar a sugar. Pode haver um período de mastigação, e desde o início cada bebê tem sua própria técnica, que pode inclusive persistir e aparecer mais tarde sob a forma de um maneirismo. O estudo desse início do relacionamento provavelmente recompensará rapidamente o observador. A parte mais importante no trabalho de Merrell Middlemore, publicado no livro *The Nursing Couple*,[2] é a descrição do imenso

---

[2] Merrell P. Middlemore, *The Nursing Couple*. London: Hamish Hamilton Medical Books, 1941.

cuidado que ela tomou para estar presente na situação da amamentação sem perturbar de modo algum nem os enfermeiros, nem as mães, e nem mesmo os bebês. Ela tomou o cuidado de não esperar sucessos ou temer falhas. Provavelmente muito poucas pessoas apresentam as condições adequadas para fazer esse tipo de observação da intimidade.

O valor da ilusão e dos estados transicionais

A primeira amamentação teórica é representada na vida real pela soma das experiências iniciais de muitas amamentações. Após a primeira amamentação teórica, o bebê começa a ter material com o qual criar. É possível dizer que aos poucos o bebê torna-se capaz de alucinar o mamilo no momento em que a mãe está pronta para oferecê-lo. As memórias são construídas a partir de inúmeras impressões sensoriais, associadas à atividade da amamentação e ao encontro do objeto. No decorrer do tempo, surge um estado no qual o bebê sente confiança em que o objeto do desejo pode ser encontrado, e isso significa que o bebê gradualmente passa a tolerar a ausência do objeto. Dessa forma, inicia-se no bebê a concepção da realidade externa, um lugar do qual os objetos aparecem e no qual eles desaparecem. Por meio da magia do desejo, podemos dizer que o bebê tem a ilusão de possuir uma força criativa mágica, e a onipotência existe como um fato, por meio da adaptação sensível da mãe. O reconhecimento gradual que o bebê faz da ausência de um controle mágico sobre a realidade externa tem como base a onipotência inicial transformada em fato pela técnica adaptativa da mãe.

No dia a dia da vida do bebê, podemos observar como ele explora esse terceiro mundo, um mundo ilusório que nem é

II. ESTABELECIMENTO DA RELAÇÃO COM A REALIDADE EXTERNA

sua realidade interna, nem é um fato externo, e que toleramos em um bebê, ainda que não o toleremos em adultos ou mesmo em crianças mais velhas. Vemos o bebê chupando os dedos ou adotando alguma técnica de mexer o rosto ou murmurando um som ou agarrando algum pano, e sabemos que nesse momento o bebê está declarando seu controle mágico sobre o mundo por meio desses diversos instrumentos, prolongando (e nós permitimos que ele o faça) a onipotência originalmente satisfeita pela adaptação realizada pela mãe. Considerei útil denominar os objetos e fenômenos que pertencem a este tipo de experiências de "transicionais". Aos objetos chamei de "objetos transicionais", e às técnicas empregadas nessas situações de "fenômenos transicionais". Esses termos implicam a existência de um estado temporário próprio da infância inicial em que ao bebê é permitido pretender um controle mágico sobre a realidade externa, um controle que, nós sabemos, foi tornado real pela adaptação da mãe, mas disso o bebê ainda não sabe. O "objeto transicional", ou primeira possessão, é um objeto que o bebê criou – ainda que, ao mesmo tempo em que nós assim dizemos, na realidade sabemos que se trata da ponta de um cobertor, ou da franja de um xale, ou de uma naninha. O próximo objeto que o bebê possuir será talvez dado por uma tia, e por esse objeto a criança dirá "tá", reconhecendo assim a limitação do controle mágico e reconhecendo sua dependência da boa vontade das pessoas existentes no mundo externo.

Como são importantes, então, esses primeiros objetos e técnicas transicionais! Sua importância reflete-se em sua persistência, uma persistência feroz por anos a fio. A partir desses fenômenos transicionais, desenvolve-se grande parte daquilo que costumamos admitir e valorizar de várias maneiras sob o título de religião e arte, e também derivam disso aquelas pequenas loucuras que nos parecem legítimas em um dado momento, de acordo com o padrão cultural vigente.

Entre o subjetivo e aquilo que é objetivamente percebido existe uma terra de ninguém, que na infância é natural, e que é por nós esperada e aceita. O bebê não é desafiado no início, não é obrigado a decidir, tem o direito de proclamar que algo que se encontra na fronteira é ao mesmo tempo criado por ele e percebido ou aceito no mundo, o mundo que existia antes da concepção do bebê. Alguém que exija tamanha tolerância em uma idade posterior é chamado de louco. Na religião e nas artes, vemos essa reivindicação socializada, de modo que o indivíduo não é chamado de louco e pode desfrutar, no exercício da religião ou na prática e apreciação das artes, do descanso necessário aos seres humanos em sua eterna tarefa de discriminar entre os fatos e a fantasia.[3]

Falhas no contato inicial

Examinarei agora os efeitos da falha em vez das consequências do sucesso, o estado que se cria quando a mãe é incapaz de satisfazer as vontades do bebê de forma suficientemente sensível, ou quando o bebê está perturbado demais (em razão de experiências anteriores) para entregar-se ao impulso instintivo.

Em termos de manejo concreto, o bebê que falha em estabelecer contato com a realidade externa não necessariamente morre. Pela persistência dos que dele cuidam, ele é persuadido

---

[3] Este parágrafo foi encontrado datilografado em separado, com uma nota explicando que ele deveria ser acrescentado ao capítulo. [N. O.]

II. ESTABELECIMENTO DA RELAÇÃO COM A REALIDADE EXTERNA

a alimentar-se e viver, ainda que a base para este viver seja débil ou mesmo ausente. Em termos da teoria psicológica, a falha neste ponto exacerba ao invés de curar a cisão na pessoa do bebê. Em vez do relacionamento com a realidade exterior atenuado pela utilização temporária da onipotência ilusória, desenvolvem-se dois tipos diferentes de relação de objeto, que podem existir desconectados um do outro a ponto de constituir uma grave doença, que eventualmente se fará notar na forma clínica conhecida como esquizofrenia. De um lado estará a vida privada do bebê, na qual os relacionamentos têm por base sua capacidade de criar, mais do que a memória dos contatos anteriores; e de outro lado estará um falso self, que se desenvolve sobre uma base de submissão e se relaciona com as exigências da realidade externa de forma passiva. É muito fácil nos enganarmos ao ver um bebê responder a uma hábil amamentação, e deixarmos de perceber que esse bebê que mama de modo inteiramente passivo nunca poderá criar o mundo e, portanto, não será capaz de construir relacionamentos externos nem terá futuro como indivíduo. A exploração desse falso self complacente ou submisso não pode levar a um bom resultado. O self verdadeiro pode se tornar visível unicamente através de um alimento rejeitado. O bebê permanece vivo, e é surpreendente o quanto os médicos satisfazem-se com esse resultado. O falso self organiza-se com a intenção de manter o mundo à distância, mas existe outro self mais verdadeiro escondido dos observadores e, portanto, protegido. Esse self verdadeiro encontra-se em um estado constante do que poderíamos chamar de relacionabilidade interna. Clinicamente, a evidência de que existe uma vida interior do self oculto pode aparecer através do balanceio rítmico do corpo, e de outros sinais característicos dos períodos mais primitivos da infância.

A descrição do grau extremo de cisão leva à descrição de graus de cisão menos intensos, e também do modo como, em algum grau, isso que estamos descrevendo está presente em todas as crianças, por ser intrínseco à própria vida. No grau extremo de cisão, a criança não tem qualquer razão para viver. Nos níveis menos elevados, existe certo sentimento de futilidade relativo à vida falsa, e uma busca incessante daquela outra vida que seria sentida como real, mesmo que levasse à morte, por exemplo, por meio da inanição. Nos graus mais brandos de cisão, existem objetos mantidos na relação secreta interior do self verdadeiro, objetos esses derivados de algum grau de sucesso no estágio da primeira amamentação teórica. Em outras palavras, nos graus menos extremos dessa doença não é tanto o estado primário de cisão que encontraremos, e sim uma organização secundária de cisão, que indica uma regressão diante de dificuldades encontradas em um estágio posterior do desenvolvimento emocional.

Pela utilização do esquema que descreve os casos extremos, é possível ilustrar facilmente as implicações dessa maneira de examinar o desenvolvimento emocional inicial e aplicar o que encontramos ao problema da pessoa medianamente normal e às dificuldades inerentes à vida.[4]

---

4 Uma versão diferente para o texto acima foi encontrada em separado, junto a uma nota indicando que ela deveria ser acrescentada neste ponto. Segue a nota:

"Quando há um certo grau de falha na adaptação, ou uma adaptação caótica, o bebê desenvolve dois tipos de relacionamento. Um tipo consiste em um relacionamento secreto e silencioso com um mundo interno essencialmente pessoal e íntimo de fenômenos subjetivos, e é exclusivamente esse relacionamento que parece real.

II. ESTABELECIMENTO DA RELAÇÃO COM A REALIDADE EXTERNA

É interessante tomar o trabalho do artista e procurar descrevê-lo nos termos propostos neste capítulo. Nesse sentido, é possível dizer que existem dois tipos de artista. Um deles trabalha primeiramente a partir do falso self, aquele que, com extrema facilidade, produz uma representação exata de uma amostra da realidade externa. O artista utiliza essa habilidade, e em seguida ocorre a tentativa do self verdadeiro no interior do artista de relacionar essa primeira impressão exata aos fenômenos brutos que constituem a vitalidade do self secreto verdadeiro. Se for bem-sucedido, o artista não apenas produziu algo reconhecível por outros, mas também algo que é característico de seu self verdadeiro; o produto final tem valor porque podemos apreciar a luta que se travou dentro do artista para aproximar elementos originalmente tão separados. Quando um artista se notabiliza especialmente por sua habilidade técnica, utilizamos o termo "facilidade" e falamos de um *virtuose*.

O outro é exercido a partir de um self falso e se estabelece para com um ambiente obscuramente percebido como exterior ou implantado. O primeiro tipo de relacionamento contém a espontaneidade e a riqueza, e o segundo é um relacionamento submisso, mantido com a intenção de ganhar tempo até o momento em que o primeiro talvez consiga, um dia, tomar posse. É surpreendentemente fácil, do ponto de vista clínico, deixar de perceber a irrealidade da metade submissa da técnica que uma criança esquizofrênica utiliza para viver.

O problema é que os impulsos, a espontaneidade e os sentimentos que parecem reais encontram-se confinados no interior de um relacionamento que (em seu grau extremo) permanece incomunicável. Em contrapartida, a outra metade da personalidade cindida, o falso self submisso, está ali à vista de todos e pode ser manejado com facilidade". [N. O.]

Em contraste com isso, há outro tipo de artista que inicia seu trabalho com a representação bruta dos fenômenos secretos do self ou da vivacidade pessoal, que para ele é repleta de significados, mas que em um primeiro momento não tem sentido para os outros. A tarefa do artista neste caso é a de tornar inteligíveis suas representações inteiramente pessoais, e para fazê-lo ele deve até certo ponto trair a si próprio. Suas criações artísticas lhe parecerão sempre um tanto fracassadas, independentemente do quanto elas sejam apreciadas por seu círculo social; na verdade, se elas forem apreciadas em excesso, o artista poderá retrair-se inteiramente, pela sensação de ter sido falso para com seu self verdadeiro. Aqui, de novo, o maior êxito do artista é seu trabalho de integração dos dois selves. O artista do primeiro tipo é apreciado por pessoas que precisam entrar em contato com seus impulsos mais primitivos, enquanto o do segundo tipo é apreciado por pessoas retraídas, aliviadas por encontrar algum compartilhamento (não demasiado) daquilo que é basicamente pessoal e essencialmente secreto.

Criatividade primária

Existe ou não uma criatividade primária? Dito de outro modo: o ser humano é ou não capaz apenas de projetar aquilo que foi anteriormente introjetado, isto é, de excretar o que foi ingerido?

Qual a resposta para o problema da criatividade? Na primeira amamentação teórica, por exemplo, o bebê tem ou não alguma contribuição a fazer?

Ao menos enquanto não viermos a saber mais, devo presumir que existe uma criatividade potencial, e que na primeira amamentação teórica o bebê tem sim uma contribuição pessoal a fazer. Se a mãe se adapta suficientemente bem, o bebê conclui que o mamilo e o leite são os resultados de um gesto produzido pela necessidade ou são consequências de uma ideia que veio montada na crista de uma onda de tensão instintiva. Em minha opinião, essas questões são de importância prática muito grande para os psiquiatras e também para os pediatras em seu trabalho clínico.

Se existe um verdadeiro potencial criativo, podemos esperar encontrá-lo em conjunto com a projeção de detalhes introjetados em todos os esforços produtivos, e devemos reconhecer a criatividade potencial não tanto pela originalidade de sua produção, mas pela sensação individual de realidade da experiência e do objeto.

O mundo é criado de novo por cada ser humano, que começa seu trabalho no mínimo tão cedo quanto o momento de seu nascimento e da primeira amamentação teórica. Aquilo que o bebê cria depende em grande parte daquilo que é apresentado no momento da criatividade pela mãe que se adapta ativamente às necessidades do bebê. Mas se a criatividade do bebê está ausente, os detalhes apresentados pela mãe não terão sentido.

Sabemos que o mundo estava lá antes do bebê, mas o bebê não sabe disso, e no início tem a ilusão de que o que ele encontra foi criado por ele. Esse estado de coisas, no entanto, só ocorre quando a mãe age de maneira suficientemente boa. O problema da criatividade primária foi discutido como pertencendo à mais tenra infância; mas para sermos precisos, trata-se de um problema que jamais deixa de ter sentido enquanto o indivíduo estiver vivo.[5]

---

5   *Nota para revisão*: daqui estender para o brincar, o local da cultura etc.

Gradualmente, surge uma compreensão intelectual do fato de que a existência do mundo é anterior à do indivíduo, mas o sentimento de que o mundo foi criado pessoalmente não desaparece.

Costumo enfatizar com muita intensidade esta parte do estudo da natureza humana. Diversas questões que à primeira vista não parecem ter relação alguma entre si acabam por revelar-se ligadas uma à outra exatamente neste ponto. Enumerando, a saber:

1. A questão prática do manejo do bebê pela mãe nas primeiras horas e dias após o nascimento (pediatria).
2. A relação entre o relacionamento corporal excitado e o relacionamento tranquilo, em geral, incluindo os problemas que se referem ao casamento.
3. O problema filosófico do significado da palavra "real".
4. A reivindicação da religião e da arte, considerando a ilusão como algo valioso por direito próprio.
5. Os sentimentos de irrealidade das pessoas esquizoides e dos doentes esquizofrênicos.
6. A alegação do psicótico de que o que não é real é real, e a da criança antissocial, de que o que não é verdadeiro é verdadeiro e de que a dependência (que é um fato) não é um fato.
7. A cisão essencial na esquizofrenia, cuja profilaxia se daria por um manejo adequado nas etapas mais primitivas do desenvolvimento emocional infantil, ou seja, pela adaptação sensível à necessidade.
8. O conceito de criatividade primária e de originalidade absoluta, em contraposição ao da projeção de objetos e fenômenos previamente introjetados (digeridos e reprocessados).

II. ESTABELECIMENTO DA RELAÇÃO COM A REALIDADE EXTERNA

A importância da mãe

Em certa medida, é verdade que as necessidades do bebê podem ser supridas por quem quer que goste de bebês, mas há dois conjuntos de razões pelas quais a mãe é a pessoa certa.

Seu amor por seu próprio bebê provavelmente é mais verdadeiro e menos sentimental do que o de qualquer substituto; uma adaptação extrema às necessidades do bebê pode ser feita pela mãe real sem ressentimento. É ela que está em condições de preservar todos os pequenos detalhes de sua técnica pessoal, fornecendo assim ao bebê um ambiente emocional simplificado (que inclui os cuidados físicos). Um bebê maravilhosamente bem cuidado por diversas pessoas, ou mesmo por apenas duas, tem um início de vida muito mais complexo, um alicerce muito menos seguro formado pelas coisas com as quais ele pode contar para garanti-lo, quando surgirem os desejos causando complicações vindas de dentro.

A negligência com relação a esses aspectos pode provocar uma grande confusão. É verdade, como assinala Anna Freud, que as técnicas são as coisas mais importantes que afetam o bebê no início. Mas a simplicidade e a constância da técnica podem ser dadas apenas por uma pessoa que esteja agindo naturalmente. Provavelmente, ninguém poderá fornecer isso melhor que a mãe, a não ser uma mãe adotiva aceitável, que se responsabiliza pelo cuidado do bebê desde o início. Mas à mãe adotiva geralmente falta a inclinação para a maternidade, um estado especial que necessita de um período preparatório inteiro de nove meses.

Não é fácil para as mães expressarem seus sentimentos sobre as experiências que tiveram na maternidade, apesar de serem sentimentos muito fortes e nem sempre agradáveis.

As mães vão perdendo a intensidade de seus sentimentos à medida que a experiência vai se afastando no passado; elas também sabem, algum tempo depois da experiência concreta do parto, que naquela época especial existia uma tendência a imaginar, quase que a alucinar, uma figura feminina persecutória, de modo que a experiência ruim é vista em retrospecto como se tivesse sido um pesadelo. Mas tais experiências ruins infelizmente são muitas vezes reais, porque há muito pouca compreensão sobre a tarefa especial da mãe de apresentar o mundo a seu bebê.

De qualquer modo, mulheres que têm uma amiga compreensiva com quem falar durante o período que abarca diversos partos descobrem em geral que elas têm muita coisa a dizer sobre os obstáculos que atrapalham a mãe de entender-se com seu bebê a sua própria maneira.

É realmente muito útil que o bebê seja colocado em um berço ao lado da cama da mãe, tal como no esquema descrito por Spence. Deve ser muito difícil para um enfermeiro lembrar que, embora a mãe talvez esteja fraca demais para levantar o bebê do berço ao lado da cama sem ajuda, na verdade ela é a única pessoa realmente indicada para se adaptar às necessidades do bebê, necessidades sinalizadas de formas tais que exigem a sutileza de entendimento da mãe verdadeira.

O bebê ao nascer

Parece existir alguma diferença entre as necessidades emocionais do bebê nascido a termo e as do bebê nascido prematuramente. Pode-se esperar também que o bebê pós-maduro provavelmente nascerá em um estado de frustração. Sem dúvida

II. ESTABELECIMENTO DA RELAÇÃO COM A REALIDADE EXTERNA

alguma o tempo certo para o nascimento, do ponto de vista das necessidades emocionais, é o momento do termo, um fato que poderia ter sido previsto.

Devo desculpas ao pediatra por discutir essas questões deixando de lado todo o cuidadoso trabalho realizado sobre a fisiologia, a bioquímica e a hematologia do recém-nascido e da função da alimentação. O fato é que na maioria dos casos a saúde física está agora garantida pelo trabalho do pediatra, e a consequência é a saúde. E quando se trata de crianças recém-nascidas, a saúde não é o fim, mas o começo. Só é possível estudar os bebês em seu desenvolvimento quando o receio de complicações ou doenças físicas tenha sido devidamente afastado. Agora, podemos ver que o desenvolvimento saudável do bebê não é uma questão de verificação do peso, mas uma questão de desenvolvimento emocional, e o estudo do desenvolvimento emocional, como espero estar demonstrando, é uma questão muito vasta e complicada.

Não é muito útil referir-se à primeira amamentação como uma experiência instintiva que acontece e termina, sem fazer referência alguma ao ser humano no interior do qual a excitação está se produzindo. Em um primeiro momento, o bebê não é capaz de aceitar a experiência e assimilar a seu self todas as consequências dos acontecimentos instintivos. Havia um estado de não excitação que foi perturbado por outro estado, excitado. O estado tranquilo certamente é o primário, merecendo um estudo por direito próprio.

Muitas coisas que dizem respeito à qualidade desse estado tranquilo são presumidas como inteiramente garantidas, partindo do princípio de que o bebê foi (fisicamente) bem cuidado, tanto no útero antes do nascimento como no manejo geral após o parto. Podemos estudar com proveito as consequências da falha no cuidado físico, e assim tentar descobrir o que é realmente produzido pelo cuidado bem-sucedido, para além da satisfação das exigências instintivas.

A filosofia do "real"

Os filósofos sempre se preocuparam com o significado da palavra "real", e houve diversas escolas de pensamento fundadas sobre a crença de que

> Pedra, árvore ou o que quer que seja,
> só terão existência
> se houver quem as veja...[6]

com a alternativa

> Pedra, árvore, seja lá o que for,
> estarão bem aí
> mesmo sem espectador...[7]

Nem todos os filósofos percebem que este problema, que aflige todo ser humano, constitui uma descrição do relacionamento inicial com a realidade externa no momento da primeira amamentação teórica; ou, melhor ainda, no momento de qualquer primeiro contato teórico.

---

6   No original: "This stone and this tree/ discontinue to be/ when there's no one about in the quad". [N. T.]
7   No original: "This stone and this tree/ do continue to be/ as observed by yours faithfully...". [N. T.]

II. ESTABELECIMENTO DA RELAÇÃO COM A REALIDADE EXTERNA

Eu o formularia da seguinte maneira: alguns bebês têm a sorte de contar com uma mãe cuja adaptação ativa inicial à necessidade foi suficientemente boa. Isso os capacita a terem a ilusão de realmente encontrar aquilo que eles criaram (alucinaram). Mais tarde, depois que a capacidade para o relacionamento foi estabelecida, esses bebês podem dar o próximo passo rumo ao reconhecimento da solidão essencial do ser humano. Cedo ou tarde, um desses bebês crescerá e dirá: "Eu sei que não há nenhum contato direto entre a realidade externa e eu mesmo, há apenas uma ilusão de contato, um fenômeno intermediário que funciona muito bem para mim quando não estou muito cansado. A mim não importa nem um pouco se aí existe ou não um problema filosófico".

Bebês que tiveram experiências um pouco menos afortunadas veem-se realmente aflitos pela ideia de que não há um contato direto com a realidade externa. Pesa sobre eles o tempo todo uma ameaça de perda da capacidade de se relacionar. Para eles, o problema filosófico torna-se e permanece sendo vital, uma questão de vida ou morte, de comer ou passar fome, de alcançar o amor ou perpetuar o isolamento.

Os bebês ainda menos afortunados, aos quais o mundo foi apresentado de maneira confusa, crescem sem qualquer capacidade de ilusão de contato com a realidade externa; ou então essa sua capacidade é tão frágil que facilmente se quebra em um momento de frustração, dando margem ao desenvolvimento de uma doença esquizoide.

12

INTEGRAÇÃO

Na formulação de uma teoria psicológica, é muito fácil pressupor que a integração ocorre, mas no estudo dos estados iniciais do desenvolvimento individual humano é necessário pensá-la como algo a ser alcançado. Não há dúvida de que existe uma tendência biológica em direção à integração, mas os estudos psicológicos da natureza humana jamais serão satisfatórios se se basearem excessivamente nos aspectos biológicos do crescimento.

Na clínica psiquiátrica, estamos familiarizados com o processo da desintegração, um ativo desfazer-se da integração, produzido e talvez organizado como defesa contra a ansiedade associada à integração. No entanto, estudar diretamente a desintegração pode induzir ao erro aqueles que estão procurando compreender os processos da integração.

É necessário postular, portanto, um estado de não integração a partir do qual a integração se produz. O bebê que conhecemos como uma unidade humana, seguro dentro do útero, ainda não é uma unidade em termos de desenvolvimento emocional. Se examinamos isso do ponto de vista do bebê (embora o bebê, como tal, não esteja lá para ter um ponto de vista), a não integração é acompanhada por uma não consciência.

12. INTEGRAÇÃO

No começo teórico existe o estado de não integração,[1] uma ausência de globalidade tanto no espaço como no tempo. Nesse estágio, não há consciência. Assim que começamos a falar de um *conjunto* de impulsos e sensações, já estamos muito afastados do início, quando o centro de gravidade (por assim dizer) do self migra de um impulso ou sensação para outro. O começo certamente está em alguma data anterior ao nascimento a termo.

A partir do estado de não integração produz-se a integração por breves momentos ou períodos, e só gradualmente o estado geral de integração transforma-se em fato. Fatores internos podem contribuir para promover a integração; como exemplo, temos a exigência instintiva ou a expressão agressiva, cada uma delas sendo precedida por uma convergência aglutinadora do self como um todo. Nesses momentos, a consciência torna-se possível, pois ali existe um self para tomar consciência. A integração também é estimulada pelo cuidado ambiental. Em psicologia, é preciso dizer que o bebê se desmancha em pedaços a não ser que alguém o mantenha inteiro. Nesses estágios o cuidado físico é um cuidado psicológico.

A mãe sabe por empatia que, quando se pega um bebê, é preciso levar um certo tempo nesse processo. O bebê deve receber um aviso, as várias partes do corpo devem ser seguradas em conjunto; finalmente, no momento certo, a criança é levantada; além disso, o gesto da mãe começa, continua e termina, pois o bebê está sendo levantado de um lugar para outro, talvez do berço para o ombro da mãe.

---

[1] Essas ideias derivam do conceito de Edward Glover sobre os "núcleos do ego", mas o leitor deverá consultar a própria obra de Glover, em vez de basear-se na minha, já que não era minha intenção descrever sua contribuição.

À medida que o self constrói-se e o indivíduo torna-se capaz de incorporar e reter lembranças do cuidado ambiental, e portanto de cuidar de si mesmo, a integração transforma-se em um estado cada vez mais confiável. Dessa forma, a dependência diminui gradualmente. Enquanto a integração vai se tornando um estado contínuo do indivíduo, a palavra "desintegração" revela-se mais apropriada para descrever o negativo da integração do que o termo "não integração". Em estágios posteriores, é possível que surjam exageros no cuidado consigo mesmo, organizado como uma defesa contra a desintegração que a falha ambiental ameaça provocar. A expressão "falha ambiental" refere-se, aqui, à falha em segurar o bebê com segurança, para além do limite de tolerância do bebê naquele momento.

É possível detectar uma desintegração que ocorre como defesa organizada contra a tremenda dor das várias ansiedades associadas ao estado plenamente integrado. A desintegração desse tipo pode ser utilizada mais tarde como base para um estado patológico caótico, que na verdade representa um fenômeno secundário e que não está diretamente relacionado ao caos primário do indivíduo humano.

Para ilustrar a aplicação desses princípios, é útil lembrar a canção de ninar de Humpty Dumpty[2] e os motivos para seu sucesso universal. Evidentemente, existe um sentimento geral, fora do alcance da consciência, de que a integração é um estado precário. A canção talvez deva seu sucesso ao fato de reconhecer na integração pessoal algo a ser conquistado.

Em minha descrição dos primeiros momentos de integração a partir dos estados de não integração, as palavras utili-

---

2   Na canção infantil, Humpty Dumpty, um ovo antropomórfico, equilibra-se precariamente sobre um muro, do qual despenca. [N. T.]

12. INTEGRAÇÃO

zadas eram extraídas da aritmética. Tratava-se de saber se os núcleos do ego individual se somariam ou não para fazer uma unidade. É possível demonstrar, durante um tratamento, que a inibição para o uso da aritmética comum derivou da inabilidade da criança em começar a formular o simples conceito de um, da unidade, que para um bom entendedor representa, em última análise, o próprio self. É bem conhecido o fato de que a incompetência para lidar com a aritmética mais simples de modo algum implica a incapacidade para cálculos mentais abstratos extremamente complexos, e de fato pode haver uma correlação entre o uso exagerado do raciocínio matemático abstrato e uma inibição das funções mais simples de adição e subtração.

Essas considerações teóricas explicam de alguma forma o valor que é atribuído tanto ao amor quanto ao ódio, e até mesmo às reações de raiva, quando estas são expressas sem reserva e no momento do sentimento mais intenso. A integração provoca um sentimento de sanidade, enquanto a perda da integração que havia sido adquirida produz uma sensação de enlouquecimento. Esses momentos urgentes de entrega total à autoexpressão retiram seu valor da experiência de integração que os acompanha. Fortemente associada a esse problema da integração recém-alcançada, com a não integração ficando para trás e a desintegração pendendo como ameaça no futuro, está a exploração das sensações da pele, a dramatização do cuidado físico e a ênfase excessiva na capacidade de cuidar de si próprio, que por sua vez derivam de uma mistura entre memórias de ter sido sustentado e memórias de não ter sido sustentado o suficiente.

Na vida do bebê normal, o descanso deve poder incluir o relaxamento e a regressão para a não integração. Gradualmente, à medida que o self desenvolve-se em força e complexidade, essa regressão à não integração aproxima-se mais e mais do doloroso estado de desintegração "enlouquecedora". Existe, portanto, um estado intermediário, no qual um bebê bem cuidado e em pleno desenvolvimento pode relaxar e não se integrar, e tolerar (mas apenas tolerar) sentir-se "louco" no estado não integrado. Em seguida, é dado um passo adiante, um passo em direção à independência, e à perda para sempre da capacidade de não integração, exceto na loucura ou nas condições especializadas fornecidas pela psicoterapia. Desse momento em diante, o termo não é mais não integração, e sim desintegração.

A questão de saber se é melhor para o bebê ser ninado no colo ou ser posto para dormir no berço pode ser discutida agora. Obviamente, o bebê precisa de ambas as experiências. Em todo caso, é possível dizer que quando o ato de segurar o bebê é perfeito (e de modo geral assim é, já que as mães sabem exatamente como fazê-lo): o bebê pode adquirir confiança até mesmo no relacionamento ao vivo, e pode não se integrar enquanto está sendo segurado. Essa é a experiência mais enriquecedora. Muitas vezes, no entanto, o ato de segurar o bebê é irregular, e pode até mesmo ser desperdiçado pela ansiedade (o controle exagerado da mãe para não deixar o bebê cair) ou pela angústia (a mãe que treme, a pele quente, um coração batendo com muita força etc.), casos em que o bebê não pode dar-se ao luxo de relaxar. O relaxamento acontece então, nesses casos, apenas por pura exaustão. Aqui, o berço ou a cama oferecem uma alternativa muito bem-vinda. É preciso, no entanto, preparar o caminho para o momento em que o bebê retornará de seu relaxamento (reintegração).

Fatores semelhantes são responsáveis pelo gosto que alguns bebês têm pela mamadeira, nas situações em que o aleitamento ao seio é impossível. Muita coisa depende da maneira

12. INTEGRAÇÃO

como a mãe segura o bebê, e é preciso enfatizar que isso não é algo que possa ser ensinado; a única ajuda possível é aquela que possibilita à mãe confiar na forma como manejamos o ambiente que a cerca, dando-lhe a oportunidade de exercer seus próprios poderes naturais.

As roupas de um bebê nesse início teórico podem se revelar um estorvo. Imediatamente após o nascimento, a sensibilidade da pele é muito aguçada. Nestes primeiros estágios, há um amplo espaço para a nudez primitiva e para um contato ininterrupto entre o corpo do bebê e o corpo da mãe. Ao que eu saiba, até agora essa questão ainda não foi resolvida. A pesquisa ao longo dessas linhas poderia seguir os passos da pediatria em seu trabalho com bebês prematuros, que tem revelado o valor da nudez na técnica da incubadeira da dr. Victoria Mary Crosse. A integração e a manutenção do estado de unidade trazem consigo outros desenvolvimentos de grande importância. A integração significa responsabilidade, ao mesmo tempo que consciência, um conjunto de memórias, e a junção de passado, presente e futuro dentro de um relacionamento. Assim, ela praticamente significa o começo de uma psicologia humana. Minha postulação da posição depressiva no desenvolvimento emocional retoma o tema nesse ponto. Infelizmente, muita coisa desfavorável pode acontecer no decorrer do desenvolvimento emocional de um bebê antes que ele atinja o status de unidade, e muitos bebês sequer chegam a alcançar as atribuições humanas da assim chamada "posição depressiva".

Quando a integração, em determinado caso, *é proporcionada principalmente por um bom cuidado de bebês*, a personalidade pode revelar-se bem estruturada. Se o acento recai sobre a integração por meio de *impulsos e experiências instintivas* e de uma raiva que mantém sua relação com o desejo, então a personalidade será provavelmente interessante e até fascinante por suas características. Na saúde, há quantidades suficientes dessas duas coisas, e sua combinação significa estabilidade. Quando não há o bastante de nenhuma das duas, a integração jamais se estabelece por inteiro, ou se estabelece de forma estereotipada, com ênfase exagerada e defesas vigorosas, impedindo que ocorra o relaxamento, ou a não integração repousante.

Existe um terceiro modo de desenvolvimento pelo qual a integração aparece cedo, e o acento recai sobre uma excessiva *reação à intrusão* de fatores externos. Isso é consequência da falha no cuidado da criança, e será discutido em um capítulo posterior. Aqui, a integração é adquirida mediante um alto preço, visto que a intrusão passa a ser esperada, tornando-se até mesmo necessária, e é possível encontrar nessa estrutura o fundamento muito precoce para uma disposição paranoide (não herdada).

À medida que a criança se desenvolve, a perda da integração deve passar a ser descrita pela palavra "desintegração", em vez de pelo termo "não integração". A desintegração é um processo de defesa ativa, e corresponde a uma defesa tanto contra a integração como contra a não integração. A desintegração se dá ao longo das linhas de cisão estabelecidas pela organização do mundo interno, por meio do controle dos objetos e das forças que nele atuam. Na clínica, encontramos vários tipos de desintegração bem-organizada, mesmo em crises severas ou surtos psicóticos. Só encontramos a não integração nos momentos de relaxamento de pessoas saudáveis e na regressão profunda possibilitada pela psicoterapia, na qual o terapeuta passa a se encarregar da organização das defesas no lugar do paciente, organização essa representada pelas condi-

12. INTEGRAÇÃO

ções físicas e emocionais altamente especializadas características da situação analítica.

É no interior dessa situação, mais do que na observação direta de bebês, que o estado considerado normal no início teórico da infância inicial pode ser mais bem estudado.

Há uma observação interessante a ser feita sobre as consequências do próprio fato da integração. A integração traz consigo a expectativa de um ataque. Parece que isso é mais verdadeiro quando o indivíduo alcança a integração em uma época tardia, e menos verdadeiro quando se trata da integração original do bebê normal. A reunião dos elementos do self associada à constituição de um mundo exterior produz por algum tempo um estado que poderia ser rotulado de paranoide. Nesses momentos, o cuidado fornecido pela mãe é importante, por posicionar-se entre o indivíduo integrado e o mundo exterior muito pouco bem-vindo. A aquisição da integração em épocas tardias, ou seja, fora do curso normal do desenvolvimento nos primeiros estágios, por vezes é seguida por ataques defensivos (ataques desencadeados por necessidade defensiva), e esses ataques defensivos podem facilmente ser confundidos com um impulso instintivo. O indivíduo pode se desenvolver com esse padrão de ataques defensivos no lugar do impulso instintivo puro que normalmente faz parte do estado atingido após a integração. Na psicoterapia, na qual os momentos de integração podem ser extremamente importantes para uma criança mais velha ou mesmo um adulto, o terapeuta precisa ter uma clara compreensão do funcionamento da integração, e na prática pode ocorrer que o terapeuta tenha que se colocar entre o mundo externo repudiado e o indivíduo recém-integrado apenas por um curto intervalo de tempo. Se o terapeuta for capaz de agir nesses momentos da mesma forma que a mãe age no início, quando cuida de seu bebê normal, o padrão paranoide não se tornará necessariamente organizado, e o indivíduo terá a chance de desenvolver um impulso instintivo verdadeiro, ou seja, um impulso que tem uma base biológica e que não se parece com o ataque defensivo, o qual não é inerente e se baseia em uma ansiedade.

Esse aspecto tem importância prática para a clínica, quando se torna importante ver em um caso específico que o padrão paranoide, ao qual me refiro pela expressão "ataque defensivo", apesar de patológico, possui um elemento positivo na medida em que propicia a obtenção de uma integração momentânea.

Vejo uma grande semelhança entre essa formulação e a teoria expressa por Lydia Jackson.[3]

---

3 Cf. Lydia Jackson, *Agression and Its Interpretation*. London: Methuen, 1952.

13

LOCALIZAÇÃO DA PSIQUE NO CORPO

Experiência corporal

Como é fácil considerar pressuposta a localização da psique no corpo, esquecendo mais uma vez que se trata de algo a ser alcançado. É uma aquisição que de modo algum encontra-se ao alcance de todos. Em alguns, esse processo é até mesmo exagerado, forçado por pais muito orgulhosos com a ginástica infantil. Mesmo aqueles que parecem viver em seu corpo podem desenvolver a ideia de existir um pouco para além da pele, e a palavra "ectoplasma" parece ter sido aplicada à parte do self não contida pelo corpo. Por contraste, na histeria, pode existir uma situação em que a pele não está incluída na personalidade, tornando-se até mesmo destituída de sangue e de sentido para o paciente.

Universalmente, a pele é de importância óbvia no processo de localização da psique exatamente no corpo e dentro dele. O manuseio da pele no cuidado do bebê é um fator importante no estímulo a uma vida saudável dentro do corpo, da mesma forma como os modos de segurar a criança auxiliam o processo de integração. Se a utilização de processos intelectuais cria obstáculos para a coexistência entre psique e soma, a experiência de funções e sensações da pele e do erotismo muscular fortalecem essa coexistência. Poderíamos dizer sobre todos os seres humanos que nos momentos em que uma frustração instintiva provoca um sentimento de desesperança ou futilidade, a fixação da psique no corpo enfraquece, sendo então necessário tolerar um período de não relação entre a psique e o soma. Esse fenômeno pode ser exacerbado em todos os graus possíveis de doença. A ideia de um fantasma, um espírito desencarnado, deriva desta não vinculação essencial entre psique e soma. O valor das histórias de fantasmas se deve ao fato de elas chamarem a atenção para a precariedade dessa coexistência.

Aqui há uma aplicação direta da teoria não só ao estudo e manejo clínico dos distúrbios da pele como também aos conhecimentos sobre grande parte dos distúrbios psicossomáticos. Os distúrbios psicossomáticos são determinados por muitos fatores, mas aquele geralmente omitido é talvez o mais importante. É muito comum assistirmos a uma discussão sobre a psicologia de um distúrbio psicossomático sem que se faça menção alguma ao valor positivo que existe para o paciente na vinculação entre algum aspecto da psique a alguma parte do corpo. Existem ansiedades psicóticas subjacentes aos distúrbios psicossomáticos, ainda que, em muitos casos, em níveis mais superficiais, possam ser percebidos claramente os fatores hipocondríacos ou neuróticos.

Não existe uma identidade inerente do corpo e da psique. Da forma como nós, os observadores, o vemos, o corpo é essencial para a psique, que depende do funcionamento cerebral, e que surge como uma organização da elaboração imaginativa do funcionamento corporal. Do ponto de vista do indivíduo em desenvolvimento, no entanto, o self e o corpo não são inerente-

13. LOCALIZAÇÃO DA PSIQUE NO CORPO

mente sobrepostos um ao outro, embora para haver saúde seja necessário que essa sobreposição se torne um fato, para que o indivíduo venha a poder identificar-se com aquilo que, estritamente falando, não é o self. Gradualmente, a psique chega a um acordo com o corpo, de tal modo que na saúde existe eventualmente um estado no qual as fronteiras do corpo são também as fronteiras da psique. O círculo que uma criança de três anos desenha e chama de "pato" é tanto a pessoa do pato quanto o corpo dele. Isso é algo que vem a ser alcançado juntamente à capacidade para usar o pronome na primeira pessoa do singular. É bem conhecido o fato de que nem todos chegam tão longe, e de que muitos perdem aquilo que haviam alcançado.

Muito do que foi escrito sobre a integração aplica-se também à localização da psique no corpo. As experiências tranquilas e excitadas dão cada qual sua própria contribuição. O processo de localização da psique no corpo produz-se a partir de duas direções, a pessoal e a ambiental; a experiência pessoal de impulsos e sensações da pele, de erotismo muscular e instintos envolvendo excitação da pessoa total, e também tudo aquilo que se refere aos cuidados do corpo e à satisfação das exigências instintivas que possibilita a gratificação. Podemos dar nesse ponto uma ênfase especial ao exercício físico, especialmente àquele realizado de forma espontânea. Hoje em dia, reconhece-se, no cuidado da criança, o valor positivo do pequenino prazer que o bebê usufrui ao ser deixado deitado, nu e esperneando. Os efeitos dos cueiros (enfaixamento) já foram estudados, e verificou-se que eles afetam o desenvolvimento da personalidade.[1]

---

[1] Cf. Geoffrey Gorer e John Rickman, *The People of Great Russia: a Psychological Study*. London: The Cresset Press, 1949.

Quando a experiência instintiva é deflagrada em vão, o vínculo entre a psique e o corpo pode vir a se afrouxar ou até mesmo a se perder. Esse relacionamento, no entanto, retorna com o tempo desde que haja uma boa base para o manejo tranquilo do bebê.

Na psiquiatria dos adultos o termo "despersonalização" é utilizado para descrever a perda da vinculação entre a psique e o soma. Esse termo pode ser utilizado para descrever um estado clínico comum de crianças normais, um estado que é geralmente chamado de "ataque de bílis", ainda que o vômito nem sempre esteja presente: a criança fica por algum tempo flácida, pálida como a morte e inacessível a qualquer contato – mas em pouco tempo ela retorna e se mostra perfeitamente normal, com tônus muscular normal e a pele na temperatura adequada.

Paranoia e ingenuidade

O contraste entre dois extremos por vezes é muito instrutivo. No desenvolvimento normal, a integração e a coexistência entre psique e soma dependem tanto de fatores pessoais referentes à vivência das experiências funcionais como do cuidado fornecido pelo ambiente. A ênfase recai algumas vezes sobre o primeiro elemento, e em outras sobre o último.

No primeiro tipo extremo de desenvolvimento, o bebê vê-se às voltas com uma expectativa de perseguição. A aglutinação do self constitui um ato de hostilidade para com o não EU, e o retorno para o descanso não é mais o retorno para um lugar de repouso, porque o lugar foi modificado e se tornou perigoso. Aqui encontramos, portanto, uma fonte muito precoce para a

13. LOCALIZAÇÃO DA PSIQUE NO CORPO

disposição paranoide, muito precoce mas não inata ou verdadeiramente constitucional.

No segundo tipo extremo de desenvolvimento, o cuidado fornecido pelo ambiente é a causa principal para a aglutinação do self. Poderíamos mesmo dizer que o self foi obrigado a aglutinar-se. Nesse caso ocorre uma relativa ausência da expectativa de perseguição, mas em compensação teremos aqui a base para a ingenuidade, para a incapacidade de esperar a perseguição, e para uma irrevogável dependência da boa provisão ambiental.

Na criança normal, que se encontra no meio entre os dois extremos, existe a expectativa de perseguição, mas também a expectativa de um cuidado capaz de protegê-la da perseguição.

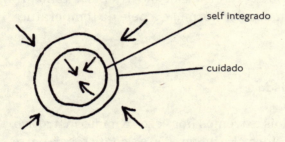

A partir dessa base, o indivíduo pode tornar-se capaz de substituir o cuidado recebido pelo autocuidado, e pode dessa forma alcançar uma grande independência, que não é possível nem no extremo paranoide, nem no extremo ingênuo.

14

OS ESTADOS INICIAIS

Diagrama do conjunto ambiente-indivíduo

É possível examinar um estágio ainda mais precoce do desenvolvimento individual, empregando mais uma vez um novo método de apresentação. Proponho agora que utilizemos um diagrama. O ambiente adquire, neste ponto, sua importância máxima, e tem que estar presente tanto na teoria como na prática.

Tudo o que for dito agora terá que se mostrar aplicável ao bebê tanto imediatamente antes como logo após o nascimento a termo. Não é necessário decidirmos em que momento preciso o feto torna-se uma pessoa a ser estudada psicologicamente, mas é possível dizer com razoável certeza que, assim como a criança pós-madura mostra sinais de haver permanecido no útero um tempo longo demais, a criança prematura mostra-se pouco capacitada a viver experiências como ser humano. Sem dúvida, o momento certo para o bebê nascer, do ponto de vista psicológico, é aproximadamente o mesmo que do ponto de vista físico, ou seja, após nove meses de existência intrauterina.

Os efeitos do processo de nascimento serão estudados no próximo capítulo, mas por ora será necessário encontrarmos uma linguagem aplicável ao feto próximo do parto a termo, de modo que quando examinarmos o efeito do trauma do nascimento sobre o indivíduo tenhamos algo com base no que trabalhar, uma forma de olhar o feto humano que faça algum sentido, e que não seja apenas uma construção imaginada pelo psicólogo. A única pergunta é: em que idade o ser humano começa a ter experiências? Devemos presumir que, antes do parto, o bebê já seja capaz de reter memórias corporais, pois existe uma certa quantidade de evidências de que, a partir de uma data anterior ao nascimento, não se perde nada daquilo que um ser humano vivencia. Sabemos que, no útero, os bebês realizam certos movimentos os quais, a princípio, se parecem mais com os movimentos natatórios de um peixe. As mães dão imenso valor à atividade de seus bebês, e a esperam a partir do sexto mês; é possível presumir que as sensações começam por volta da mesma época; de um modo ou de outro, é possível – e até provável – que exista uma organização central que seja normalmente capaz de perceber essas experiências.

Gostaria de postular um estado de ser que é um fato no bebê normal, antes do nascimento e logo depois. Esse estado de ser pertence ao bebê, e não ao observador. A continuidade do ser significa saúde. Se tomarmos como analogia uma bolha, podemos dizer que quando a pressão externa está adaptada à pressão interna, a bolha pode *seguir existindo* – e se estivéssemos falando de um bebê humano, diríamos "sendo". Se, em contrapartida, a pressão no exterior da bolha for maior ou menor que aquela em seu interior, a bolha passará a *reagir à intrusão*. Ela modifica-se como reação a uma mudança no ambiente, e não a partir de um impulso próprio. Em termos do animal humano, isso significa uma interrupção no ser, substituída pela reação à intrusão. Cessada a intrusão, a reação também desaparece, e pode haver, então, um retorno ao ser. Parece-me que é uma descrição capaz não apenas de nos levar até a vida intrauterina sem um grande esforço de imaginação, mas também de ser levada adiante, podendo ser aplicada de modo útil como simplificação extrema dos processos muitíssimo mais complexos da vida posterior, em qualquer idade.

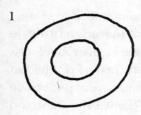

1

Isso representa o isolamento absoluto do indivíduo enquanto parte da unidade original do conjunto ambiente-indivíduo.

Surge a pergunta: de que maneira será feito o contato? Como parte do processo vital do indivíduo, ou como consequência da intranquilidade do ambiente?

2

Digamos que a adaptação ativa seja quase perfeita. O resultado será como a figura 2. O movimento do próprio indivíduo (talvez o movimento físico concreto da coluna ou da perna dentro do útero) descobre o ambiente. Isso, repetido, transforma-se em um padrão de relacionamento.

14. OS ESTADOS INICIAIS

3

Em um caso menos feliz, o padrão de relacionamento baseia-se no movimento do ambiente, como em 3. Isso merece o título de intrusão. O indivíduo reage à intrusão que é imprevisível, por não ter relação alguma com o processo vital do próprio indivíduo. Isso, quando repetido, também se transforma em um padrão de relacionamento, com um resultado bem diferente. Enquanto no primeiro o acúmulo de experiências parece fazer parte da vida, e ser portanto real, no segundo a reação à intrusão subtrai algo da sensação de um viver verdadeiro, que é recuperada apenas por meio do retorno ao isolamento, na quietude (imagem 4).

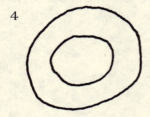

4

Por meio dessa simples representação esquemática é possível mostrar que a influência ambiental pode iniciar-se em uma etapa muitíssimo precoce, determinando se a pessoa, ao buscar uma garantia de que a vida vale a pena, partirá à procura de experiências, ou se retrairá, fugindo do mundo. A rigidez ou inadaptabilidade da mãe (devidas à ansiedade ou a um humor deprimido) podem, portanto, tornar-se evidentes para o bebê antes mesmo que este tenha nascido.

Argumentando a partir desse postulado do ser, da continuidade do ser e da interrupção dessa continuidade pelas reações à intrusão e o posterior retorno ao ser, é possível fazer uma afirmação adicional: a de que, a partir de um certo momento anterior ao nascimento, o bebê passa a se habituar às interrupções da continuidade e se torna capaz de admiti-las, desde que elas não sejam intensas demais nem excessivamente prolongadas. Em termos somáticos, isso quer dizer que o bebê não apenas teve experiências de mudança de pressão, temperatura e outros fatores ambientais simples, mas também que foi capaz de reconhecê-las e começou a organizar um modo de lidar com elas. Do ponto de vista do observador, o ambiente é tão importante quando há uma simples continuidade do ser quanto no momento em que ele provoca uma intrusão e a continuidade é interrompida pela reação. Para o bebê, entretanto, não há motivo algum para tomar conhecimento de um ambiente suficientemente bom. O ambiente suficientemente bom, devemos relembrar, é absolutamente essencial para o desenvolvimento natural do ser humano que está começando a viver.

As tentativas de estudar a psicologia dos estágios muito precoces do desenvolvimento humano foram prejudicadas, e geralmente se mostraram sem valor, devido à incapacidade dos psicólogos de fazer menção a esse ambiente suficientemente bom, a respeito do qual o bebê está intrinsecamente inconsciente, mas sem o qual seu desenvolvimento é impossível. Essa consideração por vezes apresenta uma aplicação prática mesmo no decorrer de um tratamento psicanalítico comum. Mencionarei, como exemplo, o caso de um paciente que, a certo ponto de sua análise, deitado de costas no divã, disse:

> "Justo naquele instante, eu estava todo enroscado, bem aqui em frente a meu rosto, e eu estava girando, girando..."
>
> Imediatamente coloquei um ambiente ao redor desse bebê todo enroscado, dizendo para o paciente: "Quando você me conta isso, você também deixa implícita uma coisa da qual você não poderia saber, ou seja, a existência daquilo que eu chamaria um meio." (Eu estava me referindo, é claro, tanto ao meio físico do útero como ao ambiente psicológico.) O paciente disse: "Entendo o que você quer dizer, é como o óleo no qual as engrenagens funcionam" (em analogia com uma caixa de marchas).
>
> Pelo fato de eu saber o que fazer com esse episódio de retraimento, a experiência transformou-se em um momento de regressão muito importante da análise, possibilitando grandes mudanças, inclusive uma nova forma de o paciente lidar com a realidade externa.

Em todos os tipos de cuidado com bebês, ou com pessoas física ou mentalmente doentes, este simples diagrama de um meio contendo o indivíduo é muito útil para a pessoa que representa o ambiente.

O princípio básico é o de que a adaptação ativa às necessidades mais simples (o instinto ainda não tomou posse de seu lugar central) permite ao indivíduo SER sem ter que tomar conhecimento do ambiente. Além disso, as falhas na adaptação interrompem a continuidade do ser, acarretando reações à intrusão ambiental e um estado de coisas que não pode ser produtivo. O narcisismo primário, ou o estado *anterior* à aceitação de que existe um meio ambiente, é o único estado a partir do qual o ambiente pode ser criado.

Efeito da gravidade

Há uma consideração secundária importante que afeta o manejo de bebês muito pequenos, bem como o trabalho com pacientes psicóticos muito graves, em estado de regressão profunda seja em razão de sua doença, seja em decorrência do tratamento motivado por sua doença. Refiro-me à primeira experiência com a ação da gravidade.

É necessário postularmos um estágio, pertencente à vida intrauterina, no qual a força da gravidade ainda não entrou em cena. O amor, ou o cuidado, só podem ser expressos e reconhecidos em termos físicos, por meio de uma adaptação do ambiente proveniente de todas as direções. Uma das mudanças provocadas pelo nascimento é que o recém-nascido precisa adaptar-se a algo absolutamente novo, a experiência de ser empurrado de baixo para cima, em vez de ser sustentado em todas as direções. O bebê muda da condição de ser amado por todos os lados para a condição de ser amado somente de baixo para cima. As mães reconhecem esse fato pela maneira como seguram seus bebês e às vezes os enrolam de alto a baixo em roupas bem apertadas: elas procuram dar tempo ao bebê para que ele se acostume ao novo fenômeno. A inabilidade em lidar com esta mudança da era pré-gravitacional para a da gravidade fornece a base para o sonho de uma queda sem fim, ou de estar sendo carregado para alturas infinitas. A partir da sintomatologia de pacientes adultos fica claro que, do ponto de vista do bebê, a mudança de uma etapa para a outra pode significar uma mudança do sentimento de ser amado para o de ser negligenciado.

15

UM ESTADO PRIMÁRIO DO SER: OS ESTÁGIOS PRÉ-PRIMITIVOS

No início há a não integração, não há vínculo algum entre corpo e psique, e não há lugar para uma realidade do não EU. Teoricamente, esse é o estado original, não padronizado e não planificado. Na prática, isso não é verdade, pois o bebê está sendo cuidado, ou seja, amado, e isso quer dizer fisicamente amado. A adaptação à necessidade é quase completa.

Ao examinarmos as raízes mais precoces do desenvolvimento emocional, encontramos uma dependência cada vez maior. Nos estágios iniciais, a dependência do ambiente é tão absoluta que não há utilidade alguma em pensarmos no novo indivíduo humano como sendo ele a unidade. Nesse estágio, a unidade é o *conjunto ambiente-indivíduo* (ou um nome mais adequado que se lhe possa dar), unidade da qual o novo indivíduo é apenas uma parte. Nesse estágio tão inicial, não é lógico pensarmos em termos de um indivíduo, e não apenas devido ao grau de dependência ou apenas porque o indivíduo ainda não está em condições de perceber o ambiente, mas também porque ainda não existe ali um self individual capaz de discriminar entre o EU e o não EU.

Ao olharmos, vemos uma mãe e um bebê que se desenvolve no útero dela, é segurado em seus braços ou cuidado por ela de alguma outra forma. Mas se olharmos pelos olhos do bebê, veremos que ainda não há um lugar a partir do qual olhar. No entanto, a semente de todo o desenvolvimento futuro está ali, e a continuidade da experiência de ser é essencial para a saúde futura do bebê que virá a ser um indivíduo.

Qual é o estado do indivíduo humano quando o ser emerge do interior do não ser? Onde fica a base da natureza humana em termos do desenvolvimento individual? Qual é o estado fundamental ao qual todo ser humano, não importa sua idade ou experiências pessoais, teria que retornar se desejasse começar tudo de novo?

A proposição de uma condição desse tipo envolve um paradoxo. No princípio, há uma solidão essencial. Ao mesmo tempo, tal solidão somente pode existir em condições de dependência máxima. Aqui, neste início, a continuidade do ser do novo indivíduo é destituída de qualquer conhecimento sobre a existência do ambiente e do amor nele contido, sendo esse o nome que damos (nesse estágio) à adaptação ativa de uma espécie e dimensões tais que a continuidade do ser não é perturbada por reações contra a intrusão.

Com exceção do próprio início, não haverá jamais uma reprodução exata dessa solidão fundamental e inerente. Apesar disso, pela vida afora do indivíduo, continua a haver uma solidão fundamental, inerente e inalterável, ao lado da qual continua existindo a inconsciência sobre as condições indispensáveis a este estado de solidão.

O desejo de alcançar esse estar sozinho é bloqueado por diversas ansiedades, e por fim ele se oculta no interior da capacidade da pessoa saudável de estar a sós e se fazer cuidar por uma parte do self especialmente destacada para tomar conta do todo.

15. UM ESTADO PRIMÁRIO DO SER: OS ESTÁGIOS PRÉ-PRIMITIVOS

O estado anterior ao da solidão é um estado de não vida, sendo que o desejo de estar morto é em geral um disfarce para o desejo de ainda não estar vivo. A experiência do primeiro despertar dá ao indivíduo a ideia de que existe um estado pacífico de não vida que poderia ser pacificamente alcançado por meio de uma regressão extrema. A maior parte do que costuma ser dito e sentido a respeito da morte na verdade refere-se a esse estado *anterior à vida*, no qual a solidão é um fato e a dependência ainda se encontra muito longe de ser descoberta. A vida de uma pessoa consiste em um intervalo entre dois estados de não vida. O primeiro dos dois, a partir do qual emerge a vitalidade, dá cor às ideias que as pessoas costumam ter sobre o segundo estado de não vida, a morte.

Freud falou sobre o estado inorgânico do qual se origina cada indivíduo e ao qual todo indivíduo retorna, e com base nisso formulou sua ideia dos instintos de vida e de morte. Ao propor esse fato óbvio sugerindo que ali estava oculta uma verdade, Freud nos deu uma amostra de seu gênio. No entanto, nem o uso que Freud fez desse fato nem o desenvolvimento da teoria dos instintos de vida e de morte a partir dele foram capazes de me convencer, e seria mais útil aos que pretendem levar adiante o trabalho de Freud que, deste ponto em diante, abandonem tudo exceto a ideia original.

Gostaria de justapor duas formulações diferentes, reconhecendo o paradoxo; um observador pode perceber que cada ser humano individual emerge como matéria orgânica da matéria inorgânica, e no devido tempo retorna ao estado inorgânico. (Mesmo isso não é de todo correto, já que o indivíduo se desenvolve a partir de um ovo que tem sua pré-história em todos os ovos ancestrais, fertilizados desde que a matéria orgânica emergiu do inorgânico, há muitos milhões de anos atrás); ao mesmo tempo, do ponto de vista do indivíduo e da experiência individual (que constitui a psicologia), o indivíduo emerge não do inorgânico, mas da solidão. Esse estado surge antes do reconhecimento da dependência, entendendo-se a dependência como ocorrendo em relação a uma confiabilidade absoluta. Esse estado é muito anterior ao instinto, e mais longínquo ainda da capacidade de sentir culpa. Haveria, então, algo mais natural do que tentar recuperar esse estado já vivenciado, utilizando-o como explicação para a morte incognoscível que vem depois?

O bebê (ou o feto) não tem capacidade alguma de considerar a possibilidade de morte. No entanto, qualquer bebê deve conseguir ter em consideração a solidão da pré-dependência, já que essa foi de fato experimentada. Essa ideia não está sujeita, a meu ver, a alterações por possíveis incertezas quanto à data em que o bebê humano começa a existir.

O reconhecimento dessa experiência humana de solidão pré-dependente é imensamente significativo. Ao desenvolver posteriormente sua teoria sobre os instintos de vida e de morte, Freud introduz a morte perceptível, a distinção perceptível entre o orgânico e o inorgânico, e também a ideia da destrutividade, mas ao mesmo tempo omite qualquer referência à dependência original, dupla, porque nem é percebida ainda, e à crescente sensação e percepção da dependência. Ao final, sua teoria torna-se uma falsa teoria da morte que ocorre como um fim para a vida, e uma teoria da agressividade que também se revela falsa, porque deixa de lado duas fontes vitalmente importantes da agressividade: aquela inerente aos impulsos do amor primitivo (no estágio anterior à consideração, independente das reações à frustração) e aquela pertencente à interrupção da continuidade do ser pela intrusão que obriga a reagir.

O desenvolvimento da teoria psicanalítica até o ponto em que

15. UM ESTADO PRIMÁRIO DO SER: OS ESTÁGIOS PRÉ-PRIMITIVOS

estes e outros fenômenos puderam ser abarcados talvez tenha tornado redundante a teoria freudiana dos instintos de vida e de morte, e as dúvidas do próprio Freud quanto à validade de sua teoria tornaram-se, a meu ver, mais importantes que a teoria em si mesma. De qualquer modo, é sempre possível que eu tenha compreendido mal as verdadeiras intenções de Freud.

Se é possível encontrar a sequência – solidão, dupla dependência, impulso instintivo anterior à piedade, e depois a consideração e a culpa –, não parece necessário recorrermos a um "instinto de morte". Se, no entanto, não existe um componente agressivo no impulso do amor primitivo, mas apenas raiva pela frustração, e se, portanto, a mudança da impiedade para a consideração não apresenta importância alguma, será necessário olhar em volta em busca de outra teoria da agressividade, e nesse caso teremos de reexaminar o instinto de morte.

A morte, para um bebê nos estágios iniciais, significa algo bem definido, ou seja, a perda do ser em razão de uma reação prolongada contra a intrusão ambiental (o fracasso da adaptação suficientemente boa). Não há necessidade de ir além desse ponto, forçando a teoria a dar conta de um conhecimento infantil primitivo a respeito do estado de não vida, conhecimento esse inevitavelmente absurdo, pois implicaria um grau muito elevado de desenvolvimento que, por hipótese, ainda não teria ocorrido.

16

CAOS

Não é necessário postular um estado original de caos. O conceito de caos traz consigo a ideia de ordem; a escuridão tampouco está presente no início, já que a escuridão implica a ideia de luz. No início, antes que cada indivíduo crie o mundo novamente, existe um simples estado de ser, e uma consciência incipiente da continuidade do ser e da continuidade do existir no tempo.

O caos aparece pela primeira vez na história do desenvolvimento emocional por meio das interrupções reativas do ser, especialmente quando tais interrupções são longas demais. O caos é, primeiramente, uma quebra na linha do ser, e a recuperação ocorre através de uma revivência da continuidade; se a perturbação ultrapassa o limite tolerável definido pelas experiências anteriores de continuidade do ser, ocorre que devido às leis elementares da economia uma quantidade de caos passa a fazer parte da constituição do indivíduo.

O caos torna-se significativo exatamente no momento em que já é possível discernir algum tipo de ordem. Ele representa uma alternativa para a ordem e, ao tempo em que se torna passível de ser vivenciado pelo indivíduo, ele já se transformou em

16. CAOS

uma espécie de ordem, em um estado que pode se tornar organizado como defesa contra ansiedades associadas à ordem.

O caos adiciona a si mesmo um novo sentido ao referir-se à ordem que chamamos de integração. A não integração, o estado primário, não é caótica. A desintegração, sim, é caótica, pois representa uma alternativa para a ordem, e podemos dizer que ela é uma organização defensiva grosseira, uma defesa contra as ansiedades trazidas pela integração. Contudo, a desintegração não é um estado que possa prosseguir por si mesmo, e durante o tempo em que ela deve ser mantida, o desenvolvimento emocional permanecerá estacionário. Cada tipo de caos contribui para o caos pertencente às etapas subsequentes, de modo que recuperar-se do caos anterior melhora as perspectivas de recuperação em uma etapa mais tardia.

Sem dúvida, existe certo grau de ambiente caótico que inevitavelmente resulta em um estado caótico defensivo por parte do indivíduo, resultado esse difícil de distinguir clinicamente da deficiência mental devida a um tecido cerebral empobrecido. A deficiência é, nesse caso, uma consequência da parada no desenvolvimento ocorrida em um estágio demasiadamente precoce.

O caos no mundo interno é um fenômeno bem posterior. Na linguagem dos fenômenos mais tardios, o caos no mundo interno consiste em um estado organizado derivado do sadismo oral, e pertence à vida instintiva de um ser humano que já alcançou o status de unidade, possuindo um interior e um exterior. As ansiedades hipocondríacas pertencem a esse caos interno, e a depressão (em uma de suas formas) implica um controle mágico sobre todos os fenômenos internos, ficando pendente a reconstituição da ordem interior.

O caos no mundo externo engendrado por um paciente depressivo representa a tentativa do indivíduo de mostrar como é seu interior. A defesa contra esse procedimento pode levar o indivíduo a tornar-se obcecado pela necessidade de ordem no mundo externo, como ocorre na neurose obsessiva; mas o comportamento obsessivo aponta, o tempo todo, para o caos interno, o que torna a ordem obsessiva incapaz de curar, já que ela lida somente com as representações externas ou as recusas do caos interior.

Em primeiro lugar, então, não há caos, já que não existe ordem. Ao que lá está, chamamos de não integração. O caos ocorre em relação à integração, e um retorno ao caos é chamado de desintegração.

Os estados defensivos seguintes não são caóticos, mas, por sua natureza, fazem parte da cisão. A cisão é um estado essencial em todo ser humano, mas se o manejo materno permitiu a formação de uma camada protetora da ilusão, este não precisa se tornar um estado significativo. Na ausência de uma adaptação ativa suficientemente boa, a cisão torna-se significativa, com os seguintes resultados:

1. A raiz do self verdadeiro, dotado de espontaneidade e relacionada onipotentemente ao mundo subjetivo, incomunicável.
2. O falso self baseado na submissão (destituído de espontaneidade), relacionado com o que chamamos de realidade externa.

Gradualmente, à medida que o desenvolvimento transcorre, o indivíduo pode absorver a cisão que existe na personalidade, e nesse caso o estado de divisão é chamado de dissociação.

Quando alcança o status de unidade e a posição depressiva, o indivíduo adquire a capacidade de dramatizar o caos, a cisão e

16. CAOS

a dissociação no mundo interno pessoal, incorporando os complexos resultados das experiências instintivas pessoais a essas dramatizações.

A desintegração, depois que o indivíduo atingiu o status de unidade, consiste em um desfazer organizado da integração, produzido e mantido em razão de ansiedades intoleráveis na vivência da totalidade. A cisão relativa à desintegração ocorre ao longo das linhas de clivagem na estrutura do mundo interno, ou de alguma clivagem percebida no mundo externo.

Dissociação é um termo que descreve uma condição da personalidade relativamente bem desenvolvida, na qual há uma excessiva falta de comunicação entre os diversos elementos. Por exemplo, pode ocorrer uma ausência da comunicação entre os estados de sono e vigília. Os sonhos, nesse caso, não são lembrados. Existe uma dissociação normal (no tempo) entre a vida de uma criança de três anos e a vida dessa mesma criança após crescer alguns anos. A dissociação pode aparecer sob a forma de uma tendência a "ausências", períodos de vida ou comportamento fora do normal e que não são lembrados posteriormente.

O indivíduo torna-se então capaz de perder contato com as vastas estruturas associadas aos níveis primitivos da existência e desfrutar da consciência enriquecida, mas também atormentada, pelo inconsciente. Certos elementos do self permanecem de todo inaceitáveis, formando-se então uma nova espécie de inconsciente – o inconsciente reprimido.

Repressão é o nome dado à perda, pela consciência de uma pessoa mais ou menos saudável, de um conjunto de sentimentos, memórias e ideias, tendo como causa a dor intolerável que ocorre quando são trazidos à consciência o amor e o ódio coincidentes, bem como o temor à retaliação. Aliada à repressão encontra-se a inibição dos instintos. O alívio trazido pela psicanálise em sua utilização habitual diz respeito à repressão, por permitir ao paciente tomar consciência do conflito e tolerar a ansiedade referente à livre expressão dos instintos.

Se o desenvolvimento transcorre favoravelmente, o indivíduo torna-se capaz de enganar, mentir, negociar, aceitar o conflito como um fato e abandonar as ideias extremas da perfeição e de seu oposto, que tornam a existência intolerável. A negociação de um meio-termo não é uma característica dos insanos.

O homem maduro nem é tão bonzinho nem tão desprezível quanto o imaturo. A água no copo é barrenta, mas não é barro.[1]

---

[1] Expressão equivalente ao oposto do ditado popular "Nem tudo que reluz é ouro". [N. T.]

17
A FUNÇÃO INTELECTUAL

No início há o soma, e então a psique, que na saúde vai gradualmente ancorando-se ao soma. Cedo ou tarde aparece um terceiro fenômeno, chamado intelecto ou mente.

A melhor abordagem para o estudo do lugar da mente na natureza humana é a partir da base do psicossoma simples, havendo um ambiente suficientemente bom.

De início, o ambiente deve proporcionar 100% de adaptação à necessidade, pois de outra forma o estado do ser é interrompido pela reação à intrusão. Em breve, porém, a adaptação total já não é necessária, e uma desadaptação gradual revela-se muito útil (além de ser inevitável). O intelecto começa a explicar, admitir e antecipar a desadaptação (até certo ponto), transformando assim a desadaptação novamente em adaptação total. As experiências são catalogadas, classificadas e relacionadas a um fator temporal. Muito antes de o pensamento se transformar em uma característica, possivelmente necessitando de palavras para se realizar, o intelecto já tem uma tarefa a cumprir. A função intelectual varia enormemente de um bebê a outro, visto que o trabalho a ser realizado pela mente depende não de fatores inerentes ao ser ou ao crescimento em si mesmo, mas do comportamento do ambiente, ou seja, da mãe que cuida do bebê. Um manejo caótico (se a mãe é insana) provoca um tumulto intelectual e um tipo de deficiência mental, mas uma pressão ligeiramente aumentada da desadaptação no começo pode levar a um crescimento intelectual superdimensionado, e a um desenvolvimento mental que poderá ser utilizado posteriormente de modo valioso, ainda que essa condição acarrete uma certa instabilidade, já que o fenômeno é reativo em vez de inerente.

Em alguns casos extremos, um intelecto superdesenvolvido e bem-sucedido em confrontar-se com a desadaptação à necessidade torna-se importante para a economia da criança, a ponto de se transformar em uma espécie de babá que age como mãe substituta, cuidando do bebê que existe no self da criança. A mente, nesses casos, tem uma função falsa e uma vida própria, dominando o psicossoma em vez de ser uma função específica dele. O resultado pode vir a agradar aos pais e professores que prezam a esperteza, mas o psiquiatra conhece também os perigos e a irrealidade de tudo aquilo que se desenvolveu dessa maneira. Essa abordagem que estuda a utilização da mente deve ser justaposta ao estudo da capacidade intelectual, relativa à qualidade do tecido cerebral e, portanto, basicamente hereditária. E é essa característica do intelecto que se pretende examinar nos testes rotineiros de inteligência, tão criteriosamente desenvolvidos nos últimos anos. Não se deve, porém, utilizá-los para avaliar qualquer aspecto da personalidade ou do desenvolvimento emocional.

18

RETRAIMENTO E REGRESSÃO

Nos estágios finais de uma psicoterapia, em que ocorre uma regressão limitada à situação analítica, desenvolvida e mantida no interior do ambiente profissional adequado, torna-se evidente a existência de uma ligação muito estreita entre essa regressão e o que em geral chamamos de retraimento. O retraimento é um fenômeno comum, e se as condições não são favoráveis, ele se organiza de modo hostil, levando à descrição da pessoa como "irritadiça" ou "mal-humorada".

É útil pensar no retraimento como uma condição em que a pessoa em questão (criança ou adulto) guarda uma parte regredida do self e a nutre às custas dos relacionamentos externos.

Quando ocorre uma regressão no decorrer de uma psicoterapia na qual existem condições para observações e manejos mais delicados, o terapeuta rapidamente entra em cena e segura o bebê, e então a pessoa entrega a função de nutrir ao terapeuta, e desliza para a posição do bebê.

O retraimento representa um comportamento de autoproteção, bastante útil, mas o retorno do retraimento não traz alívio, além de ser sujeito a complicações durante o processo. A regressão, no entanto, tem uma qualidade curativa, pois é possível reformular experiências precoces por meio da regressão, havendo algo de verdadeiramente repousante quando se experimenta e se reconhece a dependência. O retorno da regressão depende da reconquista da independência, e se isso é bem manejado pelo terapeuta, a consequência é que a pessoa se encontrará em uma situação melhor do que antes do episódio. Tudo isso depende obviamente da existência da capacidade de confiar, assim como da capacidade do terapeuta de fazer jus à confiança. E é possível que ocorra uma longa fase preliminar do tratamento consistindo exatamente na construção dessa confiança.

Na regressão ocorrida dentro de um processo psicoterapêutico, o paciente (de qualquer idade) deve revelar-se capaz de em algum momento alcançar uma não consciência do cuidado ambiental e da dependência, o que significa que o terapeuta está dando uma adaptação suficientemente boa à necessidade. Vemos aqui um estado de narcisismo primário, que deve ser alcançado em algum momento do tratamento. Ao retornar da regressão, o paciente precisa que o terapeuta exerça dois papéis: o pior imaginável, em todos os sentidos, e o melhor – a figura materna idealizada engajada em cuidar com perfeição de seu bebê. O reconhecimento da identidade do terapeuta idealizado e muito mau caminha passo a passo com a gradual aceitação, por parte do paciente, do bem e do mal existentes no self, da desesperança e ao mesmo tempo da esperança, daquilo que é real e daquilo que não é, ou seja, de todos os extremos contrastantes. Ao final, se tudo vai bem, há uma pessoa que é humana e imperfeita relacionando-se com um terapeuta que é imperfeito, no sentido de não desejar agir perfeitamente para além de um certo nível, e para além de um determinado tempo.

18. RETRAIMENTO E REGRESSÃO

Esses mesmos fenômenos fazem parte do cuidado normal de um bebê, mas são mais difíceis de se estudar pela observação direta da mãe e do bebê do que pelo estudo da situação terapêutica.

19

A EXPERIÊNCIA DO NASCIMENTO

É inteiramente possível afirmar que não existe qualquer conhecimento preciso quanto aos efeitos do processo de nascimento sobre o bebê que está nascendo. É até mesmo difícil provar a existência de um efeito, qualquer que seja ele. Muitos poderiam argumentar que não é possível existir esse efeito, já que o bebê ainda não está na condição de um ser humano a ser afetado. O ponto de vista que apresento aqui é o de que no momento do nascimento a termo já existe um ser humano no útero, um ser humano capaz de ter experiências e acumular memórias corporais e até mesmo organizar defesas contra possíveis traumas (como a interrupção da continuidade do ser pela reação contra intrusões do ambiente, na medida em que se falha na missão de se adaptar).

De acordo com esse ponto de vista, os fetos que completam o período de gravidez chegam ao momento do parto cada qual com sua capacidade (ou incapacidade) individual de lidar com as grandes mudanças que ocorrem naquele momento. É preciso lembrar neste contexto a extrema variabilidade de graus em que o episódio do nascimento será traumático para o bebê, presumindo-se que o bebê está na condição de algo que se deve levar em consideração.

19. A EXPERIÊNCIA DO NASCIMENTO

Devo postular aqui um nascimento normal, ou seja, uma mudança do estado intrauterino para o de recém-nascido que não tenha sido traumática.

Surge a questão: o que significa essa expressão em termos da psicologia do bebê? O nascimento normal implica três grandes características: a primeira é a de que o bebê experimenta uma interrupção maciça da continuidade do ser (pela intrusão relativa à mudança de pressão etc.) mas já alcançou em grau suficiente a capacidade de construir pontes sobre os abismos da continuidade do ser, que as reações contra a intrusão representam. A segunda é a de que o bebê já possui memórias de sensações e impulsos que são fenômenos próprios do self, já que pertencem a períodos de ser em vez de a momentos de reação. A terceira pressupõe que a mecânica do parto não seja muito anormal, quer dizer, que o parto não seja nem precipitado nem excessivamente prolongado. A partir desses três quesitos é possível imaginar um nascimento no qual, do ponto de vista do bebê, a mudança do estado intrauterino para o estado de recém-nascido tenha sido provocada *pelo próprio bebê*, que está biologicamente pronto para as mudanças e que seria afetado de modo adverso por seu adiamento. Com isso, quero dizer que o bebê tem uma série de impulsos e que a progressão em direção ao nascer surge no interior da capacidade do bebê de se sentir responsável. Sabemos obviamente que o nascimento foi provocado pelas contrações uterinas. *Do ponto de vista do bebê*, foi seu próprio impulso que produziu as mudanças e a progressão física, em geral começando pela cabeça, em direção a uma nova e desconhecida posição. Com certeza, seria normal a existência de um grau considerável de reação a essas novas e variadas sensações intrusivas, de modo que devem ocorrer inevitavelmente repetidas interrupções da continuidade do ser, exigindo o máximo da capacidade do bebê de tolerar essas interrupções. É necessário partir do ponto de vista de que pode existir um nascimento que, para o bebê, não seja excessivamente intrusivo, e que seja produzido pelos impulsos em direção ao movimento e à mudança que se originam diretamente da vitalidade do bebê. A mudança de estado do bebê da não respiração para a respiração é muitas vezes utilizada como exemplo da natureza essencialmente traumática do nascimento.

Sugiro, entretanto, que a experiência prévia adquirida pelo bebê normal em recuperar-se das reações contra a intrusão, somada ao estado de aptidão biológica para a mudança para a respiração propriamente dita, pode dar conta desse início da respiração; de fato, um bebê pós-maduro pode estar no momento do nascimento já em pleno sofrimento provocado pelo adiamento da respiração. De modo semelhante, um bebê prematuro poderá perder alguma coisa do *valor* relativo à experiência do nascimento.

O bebê nascido de um parto cesariano é um caso especial. O estudo do padrão de ansiedade das pessoas nascidas por cesariana poderia facilmente fornecer interessantes informações adicionais sobre o problema do significado do nascimento para o bebê, como já havia sido sugerido pelo próprio Freud.[1]

Estou presumindo, portanto, que no nascimento normal não há antecipação nem adiamento, e que o bebê nascido de cesariana, ainda que em certos aspectos esteja em melhores con-

---

[1] Comunicação pessoal de Freud a John Rickman. Cf. também Sigmund Freud, *Três ensaios sobre a teoria da sexualidade* [1905], in *Obras completas*, v. 6, trad. Paulo César de Souza. São Paulo: Companhia das Letras, 2016.

19. A EXPERIÊNCIA DO NASCIMENTO

dições que os outros bebês, terá perdido alguma coisa por ter sido deprivado da experiência comum do nascimento. A variável mais importante aqui é o adiamento, muito frequente nos processos de parto pelo fato de, em nossa cultura, as mães começarem a ter bebês um tanto tarde; isso, somado às inibições típicas da civilização, acrescido ainda do fato representado pelas dimensões da cabeça do bebê humano, produz um estado de coisas no qual podemos esperar uma elevada taxa de partos anormais. Ligeiros graus de adiamento superiores à capacidade do bebê de tolerá-los devem ser bastante comuns, e clinicamente é possível encontrar aqui a base para um interesse intelectual na questão do tempo, do parcelamento do tempo e do desenvolvimento de um senso de *timing*. Muitos seres humanos trazem memórias corporais do processo de nascimento como um exemplo marcante de um adiamento para além da compreensão, já que para um bebê que reage à intrusão de um parto adiado não há precedentes nem unidades de medida possíveis pelas quais mensurar o adiamento ou prever as consequências. Não há meios de fazer o bebê saber, durante um parto demorado, que meia hora ou algo equivalente será suficiente para resolver o problema, e por essa razão o bebê é apanhado por uma espera indefinida ou "infinita". Esse tipo de experiência dolorosa fornece uma base muito poderosa para coisas tais como a questão da forma na música, em que, sem a rigidez da moldura, a ideia do fim é mantida diante do ouvinte desde o início. A música informe aborrece. E a amorfia é infinitamente enfadonha para aqueles que se sentem particularmente aflitos por este tipo de ansiedade, por conta de adiamentos impossíveis de compreender ocorridos em sua infância inicial. A música dotada de estrutura formal clara é reasseguradora em si mesma, para além dos outros valores musicais propriamente ditos.

Esse é um exemplo bastante complexo. Muitas pessoas não conseguem utilizar a forma para reassegurar-se contra a sensação do infinito. Para elas, é necessária uma programação rígida, baseada em marcações rigorosas comandadas pelo relógio, para não serem avassaladas pelo aborrecimento. A ideia de um adiamento infinito deriva muito provavelmente de um processo de nascimento não inteiramente normal, tornando especialmente importante para certos bebês a habilidade de adivinhar as probabilidades mentalmente, de modo a poderem prever a hora da comida baseando-se nos sons que vêm da cozinha, ou tolerar uma demora pela compreensão, cedo ou tarde, das razões que impedem sua mãe de ser pontual.

No processo de nascimento, ocorre a grande mudança que é o início do ato de respirar. Possuo evidências provenientes do trabalho clínico que mostram que o bebê pode se tornar consciente da respiração da mãe, no sentido de perceber os movimentos abdominais ou as mudanças rítmicas de pressão e ruído, e como após o nascimento o bebê pode vir a necessitar de um reatamento do contato com as funções fisiológicas da mãe, especialmente sua respiração. Por essa razão, acredito ser provável que certos bebês precisem do contato pele a pele com a mãe, e especialmente da sensação de serem movimentados pelo sobe e desce de sua barriga. É possível que, para o bebê recém-nascido, a respiração significativa seja a da mãe, ao passo que sua própria respiração acelerada não tem sentido algum até que comece a se aproximar da frequência do ritmo respiratório da mãe. Com certeza, muitos bebês, sem saberem o que estão fazendo, brincam com ritmos e contrarritmos, e uma observação cuidadosa pode mostrar que às vezes o bebê está tentando acertar seu ritmo respiratório com a frequência cardíaca (por exemplo, respirando uma vez a cada quatro bati-

19. A EXPERIÊNCIA DO NASCIMENTO

mentos cardíacos). Algum tempo depois, podemos vê-los lidar com a diferença entre seu ritmo respiratório e o da mãe, e talvez com relacionamentos que, em um primeiro momento, envolvem respirar em uma frequência duas ou três vezes maior.

É possível que a sequência seja a seguinte: consciência intrauterina da respiração da mãe; consciência extrauterina da respiração da mãe; e a consciência da própria respiração. Haverá sem dúvida casos específicos nos quais não exista nenhuma razão especial para uma consciência da respiração, além do fato fisiológico rotineiro, fazendo a criança respirar e se tornar consciente da respiração sem que haja coisa alguma de maior interesse a ser dita. Mas isso não seria necessariamente normal. Seria mais próprio do desenvolvimento dos deficientes mentais. Mas como há seres humanos de todos os tipos, pode ser que existam bebês para os quais a respiração não seja realmente muito importante, por terem outras coisas de maior interesse exigindo sua atenção, tais como imagens eidéticas ou algo equivalente nos campos auditivo ou cinestésico.

Do ponto de vista do bebê, o nascimento anormal significa aquilo que de nosso ponto de vista chamamos de trabalho de parto prolongado. Muitas das diversas complicações que conhecemos enquanto observadores adultos não devem significar coisa alguma para o bebê que está nascendo. Temos evidências, no entanto, de que aquilo que o bebê percebe é catalogado, exceto quando o adiamento ou as possíveis dores da constrição perturbam demasiadamente, ou ocupam um período tão longo que a continuidade do ser é rompida. Além da vulnerabilidade do recém-nascido a ataques convulsivos provocados por agressões ao córtex, podem ocorrer os assim chamados "apagões", destituídos de base física. A possibilidade de que esses episódios forneçam um padrão para o desenvolvimento das "ausências" em um estágio posterior deve ser mantida em mente. Parece que o bebê só consegue vivenciar uma parte dos traumas do nascimento, e que o pior fica por conta não das severas perturbações que produzem inconsciência, mas de certas situações torturantes em que há uma progressão repetida não muito intensa e que repetidamente fracassa em atingir os resultados.

Segue-se a tudo isso que, se o todo, ou uma parte dessas coisas, for verdadeiro, existe sim um sentido muito real para o termo "normal" como descrição de um bebê recém-nascido.

Muitos bebês nascem em condições que não podemos chamar de normais, necessitando por isso de um exagero nas técnicas de manejo infantil, com as quais a mãe recria um ambiente tão próximo quanto possível das condições intrauterinas. Nesses casos, parece haver uma necessidade bastante frequente de ser segurado em silêncio após o nascimento. É provável não só que a pele seja muito sensível às mudanças de textura e temperatura, mas que essa mesma afirmação possa ser feita em termos psicológicos gerais.

É provável que, nas técnicas de amamentação mais cuidadosas, seja permitido ao bebê que passou por um parto especialmente complicado permanecer por um tempo prolongado no estado mais simples possível, sendo segurado no colo ou recebendo tratamento equivalente. Pegar um bebê recém-nascido e submetê-lo a limpezas ou banhos imediatamente após o nascimento não pode ser um procedimento legítimo em todos os casos. Muitos bebês necessitam de um período no qual possam, por assim dizer, recuperar o equilíbrio, ou seja, recuperar a sensação de continuidade do ser, em vez da reação à intrusão, a fim de que possam começar novamente a ter impulsos e até mesmo a buscar o alimento. É muito valioso para a mãe ver o bebê e

19. A EXPERIÊNCIA DO NASCIMENTO

mesmo senti-lo contra seu corpo imediatamente após o nascimento, e algumas mães acham que isso é tão importante que não toleram sequer o estado de sonolência, a não ser que possam recuperar-se dele imediatamente após o parto. Seria pouco preciso, entretanto, dizer que *todos* os bebês estão prontos para encontrar suas mães imediatamente após o nascimento, visto que muitos teriam tido experiências das quais eles próprios precisam se recuperar. Ainda não é inteiramente aceito que tanto a mãe como o bebê que não estejam perturbado demais terão muito a ganhar com alguns momentos passados juntos, com o bebê em contato pele a pele e talvez embalado pela respiração da mãe. Não há por que discutir a importância de um interesse imediato na alimentação, ainda que pareça haver lugar para qualquer tipo de variação dentro dos limites da normalidade.

A meu ver, as perturbações que o bebê pode vir a sofrer na experiência do nascimento não devem ser consideradas apenas em termos de ruptura de meninges ou hemorragias no canal medular. Esses traumas físicos ocorrem com frequência considerável, e às vezes as condições físicas predominam sobre todas as outras, mas nos casos considerados normais não há problemas físicos suficientes para que as necessidades emocionais da mãe e do bebê sejam deixadas de lado.

Possivelmente, a melhor prova de que a experiência do nascimento é uma experiência real, ou em outras palavras, de que o bebê já está em condições de ter experiências, é dada pelo grande prazer que praticamente todas as crianças (e também muitos adultos) extraem de atividades e jogos que envolvem a atuação [*acting out*] de um ou outro aspecto do processo de nascimento. Dessa forma, mais uma vez pode-se ver que, na medida em que o processo de nascimento é normal, ele é de grande valor para o bebê, a ponto de podermos dizer que um bebê nascido em estado de anestesia profunda devida à anestesia da mãe terá perdido alguma coisa importante.

Existem pesquisadores que, mesmo tendo encontrado evidências de memórias corporais pertencentes ao processo de nascimento, não acreditam que no momento do nascimento esteja presente um indivíduo capaz de ter experiências. Às vezes, eles procuram um caminho que resolva o problema postulando um inconsciente da espécie, um tipo de memória do nascimento herdada, surgida dos inumeráveis nascimentos anteriores vivenciados pelos ancestrais. Mas a teoria do inconsciente da espécie pode muito facilmente ser utilizada para empurrar para o lado os importantíssimos e interessantíssimos fenômenos do desenvolvimento do indivíduo e das memórias da experiência pessoal.

Não é muito claro se o próprio Freud acreditava que cada pessoa retém memórias corporais de seu próprio processo de nascimento, ou se acreditava em algo parecido com o inconsciente da espécie, quando observou que o padrão de ansiedade pode ser determinado (parcialmente, de qualquer forma) pelas experiências de nascimento do indivíduo. É possível que ele acreditasse primeiramente em uma memória da espécie, mas posteriormente passou a pensar mais em termos da história do próprio indivíduo.

É bastante óbvio que, se os bebês são capazes – da forma como estou presumindo – de ter experiências em idade tão precoce, quando houver um adiamento do processo de parto, poderão ocorrer sensações muito desconfortáveis ligadas à respiração, especialmente quando o cordão umbilical é pressionado ou se encontra enrolado no pescoço. Nesses casos, o bebê pode vir a sentir uma asfixia parcial antes mesmo de estar em condições de respirar.

19. A EXPERIÊNCIA DO NASCIMENTO

Essas considerações, ainda que problemáticas, preparam o caminho para outra sobre os resultados de um cuidadoso trabalho de anamnese. As histórias coletadas devidamente junto a mães que ainda têm os dados em seu poder mostram que (excluindo as perturbações físicas) os bebês variam quanto a sua capacidade de iniciar uma vida instintiva em termos de alimentação ao seio. A variação na capacidade de amamentação das mães, dependente de sua própria psicologia, sua própria história, e do estado físico de seus seios e mamilos pode ser inteiramente levada em conta, e ainda assim dificilmente dois bebês encontram-se em estados semelhantes quando finalmente a mãe e o bebê começam a se relacionar. Devemos reservar o termo "normal" para o bebê que está pronto quando sua mãe está pronta, e neste caso podemos utilizar o termo "anormal" para descrever todos os graus de irritabilidade possíveis de acontecer, e que tantas vezes impedem que a mãe amamente um determinado bebê, mesmo que ela não tenha tido dificuldade alguma com seus outros filhos.

É como se alguns bebês nascessem paranoides, e com isso estou me referindo a uma expectativa de perseguição que outros bebês não apresentam. É muito fácil afirmar que os bebês paranoides possuem uma tendência hereditária ou estão manifestando um fator constitucional, mas a argumentação ao longo dessa linha de raciocínio deve ser precedida por um estudo da pré-história do bebê, levando-se em conta inteiramente as limitações relativas a sua imaturidade. Em outro momento, referi-me a situações em que uma disposição paranoide pode ser congênita sem ser herdada.

Os que não acreditam que haja um ser humano presente nessa etapa tão precoce não terão alternativa a não ser aceitar o argumento do fator constitucional, já que não há dúvida de que alguns bebês são muito "difíceis" desde o começo.

Nos textos conhecidos da teoria psicanalítica, baseados inicialmente no estudo da neurose em adultos, frequentemente temos a impressão de que a vida do bebê começa com a primeira amamentação. Certamente isso não é verdade, e qualquer estudo que lance luz sobre a natureza do bebê ao tempo da primeira amamentação e também ao tempo do próprio nascimento será muito bem-vindo. Não é necessário que tudo seja conhecido de uma só vez. Mas o problema é: qual a melhor abordagem para o estudo desse tema? A resposta óbvia seria: a observação direta de bebês. No entanto, aqui surgem dificuldades muito grandes, visto que não é possível observar um bebê exceto no sentido de olhar para seu corpo e ver seu comportamento. Provavelmente, o estudo mais convincente das necessidades da infância inicial muito primitiva provém da observação de pacientes regredidos no transcorrer do tratamento analítico. Quanto à minha própria experiência, aquela que mais me permitiu aprender foi a observação de regressões contínuas seguidas de progressão em casos de pacientes *borderline*, ou seja, de indivíduos que precisam chegar a um estado de doença do tipo psicótico no decorrer do tratamento. Os pacientes em condições de doença ainda mais severa, que entraram em estados de regressão sem ligação alguma com a psicoterapia, não são tão úteis para essa finalidade; mas a partir do trabalho de Rosen é possível ver que a aplicação direta dos princípios formulados no trabalho com pacientes menos doentes poderia produzir resultados mesmo com pacientes crônicos internados em hospital psiquiátrico. Mesmo que os resultados obtidos por Rosen não fossem muito duradouros, eles seriam suficientes para provar que o estudo da psicose é igual àquele que podemos realizar a respeito das fases muito primitivas da história psicológica do indivíduo em desenvolvimento.

19. A EXPERIÊNCIA DO NASCIMENTO

Invertendo a direção dessas últimas ideias, eu diria que o estudo dos estágios iniciais do desenvolvimento emocional do indivíduo pode fornecer a chave para a saúde mental, no que diz respeito à possibilidade de nos libertarmos da psicose. Não há, portanto, estudo mais importante que aquele do indivíduo intimamente envolvido, no início, com o ambiente que o cerca. Nesse ponto encontram-se as diversas disciplinas da pesquisa científica em geral, da psiquiatria, do diagnóstico e do manejo terapêuticos, e também da filosofia, à qual devemos a coragem de prosseguir passo a passo rumo a um melhor entendimento da natureza humana.

20

O AMBIENTE

É possível agora passarmos ao estudo do meio ambiente.

Na *maturidade*, o ambiente é algo para o qual o indivíduo contribui e pelo qual o homem ou mulher individuais sentem-se responsáveis. Nas comunidades em que há uma proporção suficientemente elevada de indivíduos maduros existe um estado de coisas que proporciona a base para o que chamamos democracia. Se a proporção de indivíduos maduros se encontra abaixo de um certo número, a democracia não poderá se tornar um fato político, na medida em que os assuntos da comunidade receberão a influência de seus membros menos maduros, aqueles que, por identificação com a comunidade, perdem sua individualidade, ou aqueles que jamais alcançaram mais do que a atitude do indivíduo dependente da sociedade.

Ao observarmos o *adolescente*, vemos a gradual ampliação do grupo com o qual o indivíduo é capaz de se identificar sem perder sua identidade pessoal. A base para o grupo é a vida em família e sabemos que para o adolescente é muito conveniente que o lar original continue a existir, pois assim o jovem tem oportunidade de rebelar-se contra ele e também de utilizá-lo, o que enseja experimentos com agrupamentos diferentes e mais

20. O AMBIENTE

amplos sem a perda do grupo original, que possui uma pré-história, ou seja, que existia nos primeiros anos de formação do indivíduo antes da latência. Crianças no *período de latência* são intensamente perturbadas pela ruptura de seu ambiente doméstico porque nessa época elas não deveriam ter que se preocupar com essas questões, deveriam poder contar com o ambiente como garantido para poderem enriquecer interiormente, por meio da educação, da cultura e do brincar em todo tipo de experiência pessoal.

A existência de um ambiente doméstico para a criança, durante o importantíssimo período de desenvolvimento emocional *anterior à latência* e posterior à aquisição da capacidade para relacionamentos interpessoais realizados entre pessoas totais, é especialmente importante. Quando a família tem como base uma união satisfatória do casal de pais, a criança pequena encontra-se em condições de descobrir todos os variados aspectos da situação triangular: os instintos podem ser tolerados em seu desenvolvimento completo, tanto os sonhos heterossexuais como os homossexuais podem ser sonhados, e a capacidade para o ódio total, bem como para a agressividade e a crueldade, pode vir a ser tolerada pela criança. Tudo isso torna-se possível no decorrer do tempo, devido à sobrevivência do lar e da união entre os pais, à chegada, à sobrevivência e às vezes à doença e à morte de irmãos, e à capacidade dos pais de distinguir entre sonho e realidade.

Ainda que a existência do ambiente doméstico seja muito importante nesse estágio, ele não é essencial, apesar de tudo. Talvez seria melhor dizer que ele se torna gradualmente menos essencial à medida que o tempo vai passando e a criança torna-se capaz de usar situações triangulares substitutas, nas quais poderá extravasar e exaurir a dimensão total dos sentimentos dos quais ela é capaz. É possível dizer que uma vez que a criança tenha alcançado a capacidade para os relacionamentos interpessoais em termos de pessoas totais, ocorre que, se a situação familiar se rompe, ainda assim a criança pode ser capaz de sair-se bem, caso seja encontrado um substituto para o lar e a confusão total seja evitada. É mais fácil para a criança suportar ou recobrar-se da morte de um dos pais do que das complicações provocadas pelas dificuldades emocionais entre eles. É possível dizer que a ruptura da situação familiar provocará uma distorção no desenvolvimento emocional de uma criança na fase anterior à latência, mas em grande parte essa situação depende do desenvolvimento emocional anterior. O tipo de perturbação pode ser, por exemplo, aquele que leva uma criança mais velha a encarregar-se da maternagem de um bebê quando a família se desfaz, e pode até ser que ela se saia bem, mas a um custo às vezes elevado, já que uma responsabilidade tão grande não deveria recair sobre ombros tão frágeis. Ainda assim, a criança permanece uma criança, e pode até mesmo enriquecer internamente em alguns aspectos devido às responsabilidades assumidas. É nesse período que a criança está justamente começando a tornar-se capaz de lidar com separações entre ela e os pais, e é importante distinguir nessas separações aquelas que envolvem a utilização de situações triangulares substitutas – passar uns tempos na casa da tia, por exemplo – e aquelas que implicam tirar a criança de uma situação triangular conhecida e colocá-la em situações onde ela será cuidada de maneira impessoal, como quando é necessário internar a criança em um hospital. Nessa idade, a criança já foi capaz não apenas de incorporar os padrões do ambiente, mas também de construir um padrão pessoal de expectativas. Já foi assinalado habilmente que a criança desenvolve um "ambiente interno": no decorrer do tempo e à

20. O AMBIENTE

medida que o crescimento se processa, aumenta a tolerância com relação às falhas do ambiente, permitindo que a criança participe ativamente da organização e da produção do contexto emocional que lhe parece desejável. É importante lembrar, também, que quando a criança passa a poder desfrutar de situações triangulares substitutas, chegou a hora de proporcionar-lhe as oportunidades de exercitar essa nova capacidade. A vida da criança continua tendo como base a situação triangular original, em que ela se relaciona com ambos os pais. A criança de dois anos mal começou a tolerar as situações triangulares substitutas, o que deixa claro que ela ainda não está apta a lidar com situações em que a removem da situação triangular conhecida para um ambiente onde o manejo é impessoal.

Visitas diárias à criança internada em hospital, o que só nos últimos anos tornou-se rotina neste país, têm sua razão de ser na necessidade sentida pela criança de um ambiente emocional simplificado. É possível dizer que a criança de dois anos, bem-sucedida em seu desenvolvimento através dos complexos estágios emocionais anteriores, ainda não está em condições de lidar com um ambiente impessoal, não sendo suficientes os bons cuidados físicos proporcionados nos hospitais. Os pais deveriam procurar manter seu contato com a criança durante a internação, ou então deve ser dada à criança a oportunidade de construir um triângulo substituto durante a internação que infelizmente tornou-se necessária, em vista de uma incapacidade física que exige tratamento especializado.

Sem a intenção de sermos precisos quanto à idade, podemos notar que por volta dos cinco anos muitas crianças se sentem em condições de realizar experiências longe de casa, enquanto aos dois anos é inevitável que a criança se sinta agredida por qualquer ruptura no contato com seu ambiente doméstico, aquela situação simples cuja base é dada pela união dos pais. Em uma *idade anterior*, e novamente não há necessidade de sermos precisos, temos de examinar o ambiente no período em que a criança consolida a conquista da posição depressiva em seu desenvolvimento emocional. Quanto mais para trás formos, maior será a importância do ambiente. Mesmo aos dois anos, para uma criança normal que está lidando bem com as complexidades do relacionamento com ambos os pais, verificamos que o ambiente tem que ser suficientemente bom e precisa ser mantido. Ao irmos mais adiante e considerarmos a posição depressiva, podemos estar certos de que o bebê *não se sairá bem* sem os cuidados constantes de uma única pessoa. Trata-se agora de uma questão que envolve o bebê e a mãe, ou a mãe substituta. A mãe deve estar disponível para sustentar a situação no tempo. Não basta que ela esteja fisicamente disponível: é preciso que ela esteja suficientemente bem, a ponto de manter uma atitude constante durante um período de tempo, e ser capaz de sobreviver ao dia e aos conjuntos de dias chamados semanas e meses, permitindo que o bebê experimente repetidamente as ansiedades ligadas aos impulsos instintivos, e a elaboração em seguida às experiências, e a retomada da relação com a mãe após os períodos de elaboração. Os bebês podem sobreviver mesmo que ninguém desempenhe esse papel, mas eles sobreviverão com alguma coisa faltando em seu desenvolvimento emocional, algo de importância vital, resultando em uma intranquilidade e em uma falta da capacidade para a consideração, na ausência de profundidade e na incapacidade para o brincar construtivo, sofrendo mais cedo ou mais tarde uma inaptidão para o trabalho, um resultado insatisfatório tanto para o indivíduo como para a sociedade.

20. O AMBIENTE

Já descrevi a função especial da mãe ou da mãe substituta em *apresentar o mundo externo ao bebê*, tornando possível a ilusão do contato. Pode-se dizer que esse aspecto do cuidado materno não é tanto uma função específica da mãe verdadeira, já que, se for um trabalho bem-sucedido, o bebê adquirirá uma capacidade que será utilizada pelo resto da vida, ao passo que, por contraste, no tocante à posição depressiva, é a capacidade de fazer reparação – a princípio para a própria mãe – que realmente importa. Ainda assim, parece que a adaptação muito sensível à necessidade, que deve ocorrer nesse estágio a fim de que o bebê tenha um bom começo em seu contato com o mundo externo, exige um estado de coisas que dificilmente estará presente a não ser que o bebê esteja sendo cuidado por sua mãe verdadeira.

No início, o grau de adaptação necessário é tão grande que ele poderá ser realizado suficientemente bem apenas por alguém que tenha tido aquela espécie de preparação para a tarefa, proporcionada naturalmente pelos nove meses de gravidez, durante os quais a mãe gradualmente vai se tornando capaz de identificar-se com o bebê, em um nível que não será mais possível mesmo para a própria mãe algumas semanas depois que o bebê tiver nascido.

Ao examinarmos os fatores que levam à integração e ao assentamento da psique no corpo, encontramos um que tem a ver com o ambiente e os cuidados físicos em geral, realizados como uma expressão de amor. É nesse ponto que a técnica se mostra importante, mais que o relacionamento pessoal, tornando, nesse aspecto, a contribuição pessoal da mãe menos indispensável. Em outras palavras, se a técnica do cuidado de bebês é boa, não é tão importante saber quem a está empregando. Em contrapartida, é necessário ter em mente que a vivência de técnicas variadas leva o bebê a uma situação de confusão; pode-se dizer que a técnica empregada por uma só pessoa é suficientemente variável, quase tanto quanto o bebê é capaz de tolerar sem que se estabeleça a confusão. Um bebê criado em instituição pode se sair bem melhor no que se refere à integração e à localização da psique no corpo do que em relação ao início de seu contato com a realidade, e já assinalei anteriormente que, em relação à capacidade para a consideração, ele estará prejudicado. No entanto, os diversos aspectos do desenvolvimento emocional se relacionam tão estreitamente entre si que não se pode separar essas questões uma da outra, a não ser de forma muito artificial.

Se *retrocedermos ainda mais*, nos encontraremos frente a uma situação em que o indivíduo não tem qualquer ideia de tempo, nenhuma integração contínua, mesmo que a integração ocorra em alguns momentos, e nenhuma capacidade de sentir dependente. A capacidade que permite entender uma falha da adaptação ainda não está desenvolvida, e o alívio trazido pela elaboração imaginativa, o aspecto psíquico da função, tampouco se encontra à disposição. Nesses estágios iniciais, estão em atividade forças tremendas, mas o comentário mais importante a fazer é o de que, sejam quais forem essas forças, elas são extremamente importantes porque, a essa altura, não há nada que traga alívio para a violência dos fatores primitivos; simples fatores econômicos estão no poder, e se certas condições não forem satisfeitas, ocorrerão distorções inevitáveis. Nos estágios mais iniciais, encontramos uma total fusão do indivíduo a seu ambiente, descrita pela expressão "narcisismo primário". Existe um estágio intermediário importantíssimo entre esse último e o do relacionamento interpessoal, sobre o qual podemos dizer: entre a mãe que está segurando fisicamente o bebê e o bebê em questão existe algo que é preciso reconhecer e que consiste ao mesmo tempo em um aspecto da mãe e em um aspecto do bebê. É loucura descrever as coisas dessa maneira, mas não me é possível evitá-lo. Há aqui uma analogia muito próxima com a situação anterior ao nascimento: a mãe tem um bebê dentro dela; o útero tem em seu interior toda uma organização desenvolvida a partir do ovo individual que havia sido fertilizado; o endométrio especializou-se, para se mesclar à placenta; entre a mãe e o bebê há o saco amniótico, a placenta e o endométrio. Não é necessário levar a analogia longe demais, mas, do ponto de vista físico, também é possível dizer que entre a mãe e o bebê há um conjunto de substâncias que são absolutamente essenciais até o momento da separação. Esse conjunto de substâncias será perdido tanto pela mãe como pelo bebê. Nesse estágio, não muito difícil de descrever, podemos, na condição de observadores, perceber com facilidade onde termina a mãe e onde começa o bebê. Na psicologia do indivíduo, entretanto, há um aspecto importante do relacionamento sobre o qual podemos dizer que mesmo no contato mais íntimo possível haverá uma ausência de contato, de modo que cada indivíduo manterá, essencialmente, um isolamento absoluto, permanentemente e para sempre. Na analogia física, é verdade que o ovo era um hóspede no corpo da mãe, e não uma parte dela, e que após a fertilização ocorre uma organização gradativa visando o estabelecimento da independência; biologicamente falando, podemos dizer que a mãe não perde nada de seu quando nasce o bebê, exceto aquela parte do endométrio que se mesclou à placenta.

Empreguei há pouco a palavra "loucura", e o fiz de propósito, porque na teoria do desenvolvimento do ser humano há uma dupla reivindicação sobre essa substância intermediária, que se localiza entre o narcisismo primário e a relação de objeto. Após o nascimento do bebê, essa substância, que tanto une quanto separa, passa a ser representada por objetos e fenômenos sobre os quais se pode dizer, novamente, que ao mesmo tempo em que eles são parte do bebê, eles também são parte do ambiente. Só aos poucos exigiremos do indivíduo em desenvolvimento um reconhecimento completo da distinção entre a realidade externa e a realidade psíquica interna; na verdade, um remanescente dessa substância intermediária continuará existindo na vida cultural dos homens e mulheres adultos, justamente ali onde se encontra aquilo que mais claramente distingue os seres humanos dos animais (religião, arte, filosofia).

Anteriormente a tudo isso, há o estágio do *narcisismo primário*, o estado no qual o que percebemos como o ambiente do bebê e o que percebemos como o bebê constituem, de fato, uma unidade. Aqui, pode ser utilizada a desajeitada expressão "conjunto ambiente-indivíduo". O ambiente, tal como o conhecemos, não precisa ser mencionado, porque o indivíduo não tem meios de percebê-lo, e na verdade o indivíduo ainda não se encontra ali, ainda não está separado do aspecto ambiental da unidade total. A mudança do centro de gravidade do ser para aquela parte da unidade que tão facilmente identificamos como sendo o bebê representa, na verdade, uma conquista do desenvolvimento emocional saudável.

Nessa etapa tão primitiva, é preciso postular que o ambiente terá de fornecer uma adaptação física 100% adequada para iniciar um crescimento saudável e para que o centro de gravidade do ser tenda a se deslocar do ambiente em direção ao centro onde se encontra o feto. A mãe, fisicamente, assume o aspecto ambiental do conjunto total.

20. O AMBIENTE

Foi realizada uma tentativa de descrever o fator ambiental relativo aos vários estágios do desenvolvimento emocional. No entanto, para uma compreensão mais completa da questão, é preciso lembrar que os *estágios iniciais jamais serão verdadeiramente abandonados*, de modo que, ao estudarmos um indivíduo de qualquer idade, poderemos encontrar todos os tipos de necessidades ambientais, das mais primitivas às mais tardias. Ao cuidar de crianças, ou ao realizar uma psicoterapia, é necessário estarmos sempre atentos à idade emocional *do momento*, a fim de podermos fornecer o ambiente emocional adequado.

Observando o desenvolvimento emocional do bebê nessas primeiras fases, percebemos o quanto aquilo tudo é precário. Felizmente, a maior parte da tarefa do ambiente é de natureza física; no início, tudo é instintivo, e a orientação especializada da mãe torna possível que as coisas importantes sejam feitas sem qualquer participação da compreensão e do conhecimento, a não ser quando a mãe está doente. Deve-se notar, entretanto, que um *retorno a um estágio de dependência mais primitivo* implica sofrimento e uma sensação de precariedade inerente ao depender. Podemos presumir que essa não é uma característica do desenvolvimento original que se processa normalmente. Na doença, ou no curso de uma psicoterapia, pode ocorrer a regressão, mas a regressão a estados da infância inicial só adquire um caráter terapêutico se os sofrimentos intensos associados à dependência experimentada na regressão puderem ser suportados. Se compararmos com a mãe real, a falta de jeito do psicoterapeuta torna inconcebível – mesmo em uma terapia cuidadosamente controlada – que a eventual regressão à dependência seja uma experiência prazerosa.

A ideia de um tempo maravilhoso no útero (o sentimento oceânico etc.) é uma organização complexa de recusa da dependência. Qualquer prazer sentido em uma regressão faz parte da ideia de um ambiente perfeito, e contra essa ideia pesa sempre outra, tão real para a criança ou o adulto regredidos quanto a primeira, de um ambiente tão ruim que não haveria nele qualquer esperança para uma existência pessoal.

21

RECONSIDERANDO A QUESTÃO PSICOSSOMÁTICA

Podemos agora rever a teoria dos distúrbios psicossomáticos. Ao examinarmos esse tipo de distúrbio, devemos ter em mente a totalidade do que se sabe a respeito do desenvolvimento emocional do indivíduo e trabalhar ponto a ponto o relacionamento entre o físico e o psicológico. É possível ilustrar melhor esse processo recorrendo a alguns exemplos.

Asma

1. Em alguns casos de asma, existe um fator bioquímico cujo funcionamento permanece obscuro. O termo "alergia" não nos leva muito adiante, exceto quanto à sugestão nele implícita de que o indivíduo é sensível a certas proteínas. Em alguns casos, pareceria que, ao menos nos estágios iniciais, a parte física dessa condição é a mais importante. Se for aceita a hipótese de que em um determinado caso a causa é física, no momento seguinte terá de ser acrescentada uma camada psicológica secundária, que varia conforme o indivíduo. Não é possível ter asma sem ser alterado pelo fato de tê-la e pelo fato de ser suscetível a ela.

2. Diversos estudos demonstraram que a asma está associada a um fator ambiental. Costuma-se afirmar que a superproteção materna predispõe à asma e a vários outros sintomas. Se essas pesquisas estiverem corretas, há algo muito importante a dizer a respeito da teoria, ou seja, que a continuidade do fator externo adverso não é necessariamente a causa original; e que a causa original pode ser ou não a superproteção materna em um momento específico e importante. Seja como for, para o completo entendimento da asma relacionada a um poderoso fator externo adverso, é necessário compreender o impacto sobre a criança do inconsciente reprimido e subjacente à superproteção compulsiva da mãe. Trata-se de algo sempre variável. Em relação à criança vista como pessoa total, engajada em relacionamentos interpessoais, a asma aparece algumas vezes estreitamente relacionada a fases de pressão excessiva, tais como o nascimento de outra criança, ou episódios nos quais é colocada sobre a criança uma carga emocional insuportável para suas condições, ao passo que outra criança poderia desenvolver uma enurese ou um sintoma diferente. A asma instala-se por razões associadas a fatores mais profundos, alguns dos quais são conhecidos e outros não.

Na análise de uma criança asmática, se o analista permanecer no nível dos relacionamentos interpessoais e do conflito entre amor e ódio, conseguirá uma boa quantidade de informações de grande valor. A criança desenvolverá a capacidade de ter insights, e poderá passar a tolerar a asma, ou até a evitá-la pela adoção de certos comportamentos. Ainda assim, a análise de uma criança asmática que permaneça naquele nível poderá ou não ser bem-sucedida com relação aos sintomas da asma, apesar de ser bem-sucedida ao permitir à criança um desenvolvimento tanto do caráter como da personalidade, e possibilitar-lhe uma liberdade maior em seus relacionamentos. Nesse nível, a análise jamais revela a natureza da asma em si. Já em um tratamento que leva em consideração aquele ponto especial na evolução do relacionamento entre o pequeno e a mãe ao qual denominamos posição depressiva, lançaremos uma luz muito mais intensa sobre os significados da asma para a criança. Pode existir um rico sistema de fantasias sobre o interior do peito e todo tipo de variações sobre o tema do peito aparecendo como barriga, ou do peito como alternativa para a barriga ou para o interior genérico da psique que já atingiu a condição de unidade. O manejo das ferozes batalhas internas e o controle das forças do bem e do mal dentro do self – esses e todos os outros fenômenos que contribuem para a ansiedade hipocondríaca podem ser encontrados ao longo dessa busca e são muito mais valiosos para a criança quando conscientes do que quando inconscientes, e também muito valiosos para nós, em nossa tentativa de compreensão.

Não estamos ainda, apesar disso, de posse da chave para a natureza da asma. Na análise em que ocorre a regressão a uma dependência mais profunda, dentro da situação analítica e da relação de transferência, o paciente torna-se um bebê em certos momentos, ou em determinadas fases. Ocorre, então, uma aproximação maior à natureza da asma em si, mesmo sendo necessário admitir que muitas coisas permanecem desconhecidas. A condição de "ser" um bebê faz serem revividos problemas ligados à respiração, associados aos primeiros tempos após o nascimento e ao processo do nascimento em si mesmo. Memórias corporais de extrema importância vêm à tona no decorrer da sessão – e também perturbações físicas do aparelho respiratório, que não haviam surgido como material mnemônico nem mesmo por meio dos sonhos. A chave para a compreensão da asma, porém, continua oculta, já que essas memórias corporais das dificuldades respiratórias não levam necessariamente à asma, podendo, em vez disso, estar relacionadas a uma propensão à bronquite e a todo tipo de distúrbios respiratórios e sensações de asfixia etc. Somente quando o tratamento alcança os estágios mais primitivos é que a asma começa a encaixar-se em seu lugar, por exemplo, quando o paciente está preocupado com o estabelecimento de um self verdadeiro como o lugar a partir do qual viver, e com a implantação desse self verdadeiro no corpo. É nesse ponto que a ligação filológica entre a palavra "*soul*" (alma) e a palavra "*breath*" (respiração) torna-se inteligível. O vaivém da respiração torna-se insuportável no caso de certas ansiedades associadas à fuga do self verdadeiro e possivelmente oculto, de modo que no fenômeno do grito, tanto como no da asma, encontramos o conflito entre a necessidade de uma livre passagem para o que entra e o que sai e a ansiedade pela falta de controle sobre o que se move para dentro e para fora da unidade psíquica recém-constituída. A conhecida relação entre a asma e o eczema infantil não é compreensível em termos psicológicos, e enquanto essa compreensão não for alcançada, será preciso admitir os argumentos em favor de uma causa física comum às duas situações.

Nessa breve exposição sobre a asma, procurei chegar não a um completo estudo dela, mas a uma demonstração das possibilidades de utilizar a psicologia em diferentes níveis de profundidade.

Úlcera gástrica

Para examinar o tema da úlcera gástrica, podemos utilizar novamente o mesmo sistema. As causas unicamente físicas não precisam ser discutidas aqui. Quanto ao ambiente, é possível demonstrar que em uma proporção significativa dos casos de úlcera gástrica estão presentes condições de tensão emocional contínua. Em alguns casos, a remoção do fator externo adverso representa uma parte importante do tratamento médico, e o tratamento tem que ser médico, porque de fato existe uma lesão física perigosa. Não devemos esquecer que a internação em hospital e a dieta à base de leite, tomado em quantidades pequenas e frequentes, constituem um tratamento que também separa o paciente de seu ambiente familiar e lhe fornece uma justificativa para livrar-se das ansiedades ligadas ao trabalho. Se essas ansiedades não forem manejadas, o tratamento médico pode vir a fracassar; a confiança do doente no médico e no enfermeiro é de suprema importância para o manejo e para a remoção dos fatores emocionais adversos que fazem parte da vida do doente. Em algum momento, o tratamento pode resultar na interrupção de gratificações variadas que, certamente, provêm de causas psicológicas.

Se for realizada uma pesquisa em termos de relacionamento interpessoal entre pessoas totais, muitas coisas importantes serão encontradas. Todo o espectro de fantasias e sonhos estará à disposição, assim como várias identificações cruzadas. A análise do paciente nesse nível atenuará as ansiedades e permitirá que ele dê conta dos fatores ambientais, desobrigando-o de reviver experiências precoces dolorosas já esquecidas. A análise nos termos da posição depressiva será altamente reveladora nesses casos, lançando luz especialmente sobre um estado defensivo crônico em cujo núcleo encontra-se oculta uma depressão. A isso chamamos de agitação ansiosa comum na infância, ou hipomania, que a teoria psicanalítica considera uma defesa maníaca contra a depressão: a hiperatividade constante e a excitação exacerbada levam a alterações fisiológicas que podem facilmente afetar coisas tais como a acidez dos conteúdos estomacais. Encontramos aqui também uma fonte para diversas gratificações compulsivas, e para certos distúrbios menores, tais como comer depressa demais e escolher mal os alimentos. Não são esses fatores isolados que provocam a úlcera gástrica, mas o funcionamento de vários deles durante um certo tempo. A análise de um paciente desse tipo é diferente se a úlcera já estiver presente ou se apenas existirem as condições que poderiam facilmente levar a sua formação. No primeiro caso, o paciente dará à úlcera um sentido a partir de suas fantasias sobre os fenômenos do mundo interno. Em um certo número de casos, o núcleo da doença será encontrado na depressão subjacente ao estado hipomaníaco, apesar do grande alívio proporcionado pela análise dos conflitos entre amor e ódio, dos relacionamentos interpessoais e das ansiedades inerentes ao complexo de Édipo. Não há qualquer motivo especial para esperar que a análise dos aspectos mais primitivos contribua para a compreensão ou para o tratamento da úlcera gástrica, ainda que, obviamente, em qualquer caso particular possa ser encontrada uma psicose por baixo de todas as outras coisas.

É importante ter sempre em mente o seguinte sobre os distúrbios psicossomáticos: o elemento físico da doença empurra a doença psicológica de volta para o corpo. Isso é particularmente importante por constituir uma defesa contra a fuga para o puramente intelectual, que levaria o indivíduo a perder uma parte do vínculo entre a psique e o soma. Nesse sentido, os fenômenos muito precoces, descritos até agora sob a denominação geral de "primitivos", podem se revelar importantes para o estudo de qualquer caso que apresente um distúrbio psicossomático, inclusive a úlcera gástrica.

Note-se que o estudo dos fatores externos comuns é capaz de levar a resultados estatisticamente significativos, mas pode também ser extremamente enganador.

APÊNDICE
DOIS ESBOÇOS DE ESTRUTURA DO LIVRO

Ago. 1954

Introdução

I
Estudando a criança humana.
- Soma, psique, mente.

Saúde – doença.
A relação entre doença corporal e distúrbio psicológico.
O campo psicossomático (estudo preliminar).

II
O desenvolvimento emocional do ser humano.
A. Relacionamentos interpessoais.
B. Consideração, culpa, reparação.
C. Estágios primitivos.

A. Relacionamentos interpessoais.
    Id, ego, superego.
    Sexualidade infantil.
    Instintos genitais e pré-genitais.
    Ansiedade.
    Organização das defesas.
    O inconsciente reprimido.
    O conceito de saúde a partir da teoria dos instintos.

B. Consideração, culpa, reparação.
   O estágio da consideração.
   A posição depressiva (Klein) no desenvolvimento emocional.
   O tema do mundo interno.
   O retraimento – sua relação com: Preocupação; Concentração.
   Estado paranoide e ansiedade hipocondríaca.

   Quatro tipos de material psicoterápico:
   – Relacionamentos externos; elaboração imaginativa.
   – Inter-relações no mundo interno.
   – Ramificações intelectuais.
   – Fenômenos transicionais.

   Considerações sobre o *setting* psicoterapêutico; os estados tranquilos e excitados; as necessidades primitivas e pré-primitivas.

C. Desenvolvimento emocional primitivo.
   a) Estabelecimento de uma relação com a realidade externa (compartilhada).
      – A primeira amamentação teórica.
      – O valor da ilusão e dos estados transicionais.
      – O falso self: aspectos normais e anormais; o self autoprotetor; a persona (cf. Jung).
   b) Integração: a conquista do status de unidade.
   c) Localização da psique no corpo.
   d) Os estados iniciais:
      – O diagrama inicial: o conjunto ambiente-indivíduo.
      – A experiência do nascimento.
      – Estado primário do ser.
      – Caos-ordem surgidos do nada.

III
Evolução do ambiente.
Estudo de sequências:

1.
Elaboração imaginativa da função.
Fantasia.
Realidade interna.

2.
Realidade interna;
Sonho;   Memória; arte criativa;
Fantasia;   o brincar; trabalho.
Fantasiar.

Desenvolvimento do tema da pediatria psicossomática.
Relação com:
1) Funcionamento normal.
2) Neurose.
3) Distúrbios afetivos.
4) Psicose.

Objetos e fenômenos transicionais.

IV
Comportamento antissocial.
Delinquência relacionada às falhas do ambiente.
A criança deprivada.

APÊNDICE

V
Latência.
Pré-puberdade.
Adolescência.
Maturidade.

c. 1967

INTRODUÇÃO – ESTUDO DA NATUREZA HUMANA.

PARTE I

I
Estudando a criança humana.
 Soma, psique, mente.
 Psicossoma e mente.
 A doença.
 Relação entre doença corporal e distúrbio psicológico.
 O campo psicossomático.

II
O desenvolvimento emocional do ser humano.
 Plano (avançando para trás).
 Relacionamentos interpessoais.
 Estabelecimento da unidade pessoal.
 Tarefas principais.
 Entremeando com sequelas de dependência.

PARTE II

Introdução
    Estabelecimento do status de unidade.
    Consequências: consideração; culpa; realidade psíquica
        pessoal interna.
    Posição depressiva: repressão em termos depressivos.
    Riqueza interna – um novo conceito.

O tema do mundo interno.
    O modo de vida paranoide.
    A depressão como distúrbio do humor.
    A defesa maníaca – mania.

Diferentes tipos de material psicoterápico.

Ansiedade hipocondríaca.

PARTE III

A teoria do ego.
    Relação com a realidade externa: o brincar; a criatividade.

    Integração.
    Assentamento (da psique no corpo).

    Ambiente.

ÍNDICE REMISSIVO

ABRAHAM, Karl 64
adaptação 20, 33, 43, 49, 93, 118, 126, 130, 147-54, 157, 160-63, 166, 182, 183, 186-89, 192, 195, 198, 201-03, 220-23
agressividade 33, 82, 110, 117-18, 168, 191-92, 216
AICHHORN, August 14
alimentação 21, 38-39, 93, 104, 109, 137, 151, 156, 164-66, 207-12, 221, 231
amamentação 68, 145-53, 156-60, 164-65, 171, 209, 212-13, 230, 236; *desmame* 55, 108, 123
ambiente 5, 10, 19-20, 26, 29, 34, 40, 49, 53, 60-61, 71, 79, 84-86, 105, 108, 132, 143-44, 147, 158, 162, 168-69, 172, 178-89, 192-94, 198-203, 209, 214-27, 230, 236-39
ambivalência 65, 77, 82, 91-93, 105
amor 20, 32-33, 46, 67, 75, 82-84, 88, 93, 96-97, 105-13, 116-18, 128, 148, 162, 166, 170, 187-92, 196, 220, 227, 231; *impiedoso* ver *impiedoso*
anal 63-71, 122
ansiedade 22, 29, 32-34, 59-60, 76-77, 83-84, 94-97, 105, 129, 133, 136-38, 150-51, 167, 171, 175, 184, 197, 205-06, 211, 228-31, 235-36, 239; *hipocondríaca* ver *hipocondria*
antissocial *ver* tendência antissocial
atuação [*acting out*] 82, 136, 210

BALINT, Alice 14
BEETHOVEN, Ludwig van 115
BLAKE, William 115
brincar 71-72, 82, 106, 111-12, 118, 130, 133-37, 152, 160, 216, 219, 237

Caos 29, 34, 115, 157, 169, 193-95, 199, 236
cisão 156-57, 161, 173, 195-96
complexo de Édipo 55-56, 75-77, 83, 92, 231
compulsão 70, 82, 88, 227, 231
confiança 20, 28, 37, 76-77, 93, 115, 125, 131, 153, 169, 171-72, 191, 201, 230
conflito 20-21, 40, 43-44, 47-48, 54, 58, 77, 83-85, 90, 115, 123, 131, 197, 227-31
confusão 22, 29, 97, 139, 162, 166, 217, 221
consciência 20, 24, 35, 70, 79-83, 86, 91, 95, 102, 112, 130, 136, 167-69, 172, 193, 196-97, 201, 208

ÍNDICE REMISSIVO

consideração [*concern*] 20, 37, 54-55, 65-66, 104-05, 109, 117, 122, 129, 145, 191-92, 203, 219-21, 228, 236, 239
continuidade 20, 38, 61, 89, 109, 182, 185-86, 189-93, 203-05, 208-09, 227
controle 14, 43, 60, 65, 87, 94, 102, 108, 113-15, 126, 134-36, 153-54, 171-73, 194, 228-29
corpo 5, 19-22, 25-29, 37, 41-49, 68-69, 73, 78-82, 87, 95, 108, 116, 120-24, 136-39, 143, 156, 168, 172, 176-79, 188, 210, 213, 220-22, 229-31, 236
crescimento 7, 20, 26, 34-36, 43, 49, 58-59, 65-66, 72, 75, 78, 92-94, 105-07, 112, 116, 127, 130, 167, 199, 218, 223
criatividade 82, 148, 149, 153, 159-61, 237
CROSSE, Victoria 172
culpa 34, 96, 104-06, 111-12, 118, 126, 133, 138, 191-92, 235, 239
cultura 68-70, 73-74, 154-55, 160-61, 206, 216, 223, 237

Defesa *ver* mecanismos de defesa
deficiência 29, 53, 69, 194, 199
dependência 20, 33, 48-49, 55, 61, 93, 96-97, 105-06, 110, 147, 154, 161, 169, 180, 188-92, 201, 212, 215, 221, 224, 228, 236; *independência* 21, 103, 171, 180, 201, 222
depressão 34-35, 40, 106-08, 111-12, 126-29, 139, 172, 185, 194-95, 219, 231, 237; *maníaca ver mania; posição depressiva ver posição depressiva*
deprivação 65, 70-71, 88, 128, 206, 237
desejo 46, 91, 148, 153, 172, 189-90
desenvolvimento emocional 23, 27-32, 39, 43, 47, 53, 58-60, 73-74, 79, 87, 101, 104-06, 123, 127-29, 143, 157, 161, 164, 167, 172, 188, 193-94, 199, 214-26, 235-38
deslocamento 65, 74, 78, 83, 223
despersonalização 108, 127, 132, 179
destrutividade 65, 111-12, 118, 128, 191
Deus 133
diagnóstico 22, 29, 33, 125-29, 214
dissociação 105, 111, 126, 137, 195-96
distorção 28, 49, 59, 67, 147, 217, 221
distúrbios 19-23, 30-42, 47-48, 60, 80, 119-20, 138-39, 177, 226, 229-31, 237
doença 4, 13, 21-23, 27-42, 47-48, 53, 60, 67, 75-77, 80, 90-92, 103, 106, 116, 119-21, 125-29, 138-39,

156-57, 161, 164-66, 177, 186-87,
213, 216, 224, 230-31, 235, 238
dor 58, 65, 85, 119-20, 125, 169,
196, 208

Ego 43, 65-66, 68, 79, 85-87, 124,
132-37, 141, 168-70, 235
enfermagem 40-41, 50, 121,
150-53
erotismo 20, 63-66, 70, 74, 122,
177-78
esperança 15, 111, 147, 201, 225;
desesperança 34, 177, 201
espontaneidade 108, 112, 158,
178, 195
esquizofrenia 33, 156-58, 161
esquizoide 108, 161, 166
eu/não eu 103, 179, 188
excitação 46, 61-65, 69, 78, 82-84,
97, 105, 149, 164, 178, 231

Falha 49, 71, 81, 146-47, 150,
153-56, 164, 169, 173, 203,
221, 237
fálico 64, 67-69; *pênis* 34, 69-70,
73, 89
família 15, 23, 32-33, 61, 77, 94,
215-17
fantasia 9, 63-67, 70-76, 79-86,
89-91, 95, 101, 114, 120, 124,
132-35, 138, 155, 237
feminino 62-76, 163
feto 54, 181-82, 191, 223
fezes 71, 121-22

fisiologia 23, 27, 38, 42, 46, 53, 84,
164, 208
fobia 32, 94
formação de compromisso 43,
89, 96
FREUD, Anna 14, 79, 162
FREUD, Sigmund 14, 54, 57-58,
72, 83-89, 92, 101, 108, 190-92,
205, 211
frustração 38, 68, 82, 112-13, 118,
128, 163, 166, 177, 191-92
fusão 20, 72, 221

Genital 62-78, 85-89, 94, 101,
122, 149, 235; *pré-genital* 64-68,
72-73, 87-88, 96, 235
GORER, Geoffrey 178
gratificação 92, 178, 230-31
gravidez 36, 68, 71, 203, 220

HEIMANN, Paula 107
hereditariedade 19, 23-27, 30,
35-36, 60, 73, 78, 95, 199, 212
hipocondria 33, 115, 138-39, 177,
228; *ansiedade hipocondríaca*
105, 138-39, 194, 236-38
hipócrates 92
histeria 35, 139, 176
homossexualidade 69, 74, 83, 89,
96, 216
hospital 22, 119, 213, 217-18, 230
humor 106-08, 127-28, 184, 239
HUMPTY DUMPTY 169

243

ÍNDICE REMISSIVO

Id 65-66, 72, 85-86, 111, 235
ideal *de ego* 43, 85-86; *idealização* 113-14
identidade 70, 96, 138, 177, 201, 215; *identificação* 68-71, 74-76, 83-84, 87, 215
ilusão 54, 146-47, 151-53, 160-61, 166, 195, 220, 236
imaginação 20, 35, 46-48, 62-63, 67, 70-71, 76-79, 82, 91, 94, 106, 118-19, 177, 183, 221, 235-36
impiedoso [*ruthless*] 20, 33, 55, 65-66, 104-05, 117-18, 192
impulso 20, 43, 47, 61, 85-86, 110-11, 117-18, 121, 124, 128, 146, 151, 155, 158-59, 168, 172-75, 178, 182, 191-92, 204-05, 209, 219; *do id* 85-86
inconsciente 34, 43, 46-47, 55, 58, 76, 79, 84-85, 91-92, 102, 106-07, 130-35, 147, 185, 196, 211, 227-28, 235
individualidade 50, 117, 215
inibição 28, 39, 77, 87-88, 101, 106, 109-11, 151, 170, 196
instinto 4, 10, 20, 32-34, 43, 47, 58, 61-67, 70, 73-76, 82-90, 94-96, 101-20, 124-26, 132-35, 141, 145, 148, 151, 155, 160, 164-65, 168, 172-79, 186, 190-97, 212, 216, 219, 224, 235
integração 62, 104-05, 117-18, 126, 129, 134, 143, 159, 167-79, 194-96, 220-21, 236, 239; *desintegração* 34, 136, 167-73, 194-96; *não integração* 143, 167-73, 188, 194-95; *reintegração* 171
intelecto 19, 27-29, 48, 81, 198-99; *inteligência* 28, 64, 199
interpretação 93, 130-37
intrauterino 37, 53, 181-83, 187, 204, 208-09
introjeção 113-14, 119-20, 135, 159-61
inveja do pênis 69-72, 76
irmãos/irmãs 69, 83, 137, 216
ISAACS, Susan 7, 107

JACKSON, Lydia 175
JONES, Ernest 72
JUNG, Carl 236

KLEIN, Melanie 14, 107, 111, 127, 236

Latência 9, 53-54, 59, 74, 84, 87, 94, 216-17, 237
lesão 230
liberdade 43, 82, 90, 109, 137, 228
loucura 28, 121, 125, 129, 155, 171, 197-99
luto 46, 108, 127

Mãe 20, 33, 36-39, 68, 71-76, 82-84, 89-90, 95, 101-12, 116, 126-28, 131, 145-63, 166-68,

171-74, 184, 188, 199-202, 207-12, 217-24, 227-28
magia 107, 108, 113-14, 120, 134-35, 153-54, 194
manejo [*management*] 14-15, 22-24, 39, 43, 47, 50, 60, 75, 95, 120-21, 126, 134, 143, 146, 155, 158, 161, 164, 177-79, 187, 195, 201, 209, 214, 218, 228-30
mania 93, 111, 128-29, 237; *defesa* 128-29, 231, 239; *depressão* 93, 111, 128-29
masculino 62, 64-76
maturidade 9, 26-29, 38, 49-50, 53-55, 61, 67, 87-88, 90, 94, 163, 181, 197, 205, 215, 237; *imaturidade* 146, 197, 212
mecanismos de defesa 33-34, 77-79, 119, 127-29, 134, 137, 167-69, 173, 194-95, 231, 239; *defesa maníaca* ver *mania*
medicina 13-14, 23, 37-39, 42-45, 48, 58, 92, 230; *pediatria* 13-14, 21-25, 31, 36-38, 45-49, 53, 143, 152, 160-61, 164, 172, 237
medo 34, 37, 46, 68, 82-84, 105, 108, 121-22
memória 89, 127, 146, 156, 163, 189, 196, 208, 211, 237
MIDDLEMORE, Merrell 152
MONEY-KYRLE, Roger 90
morte 19, 22, 26, 53, 76-77, 89, 95, 129, 155-57, 166, 179, 190-92, 216-17

Narcisismo 186, 201, 221-23
nascimento 27, 30, 36-40, 49, 53, 148-51, 160-64, 168, 172, 181-82, 185-87, 203-13, 222-23, 227-28, 234; *recém-nascido* 146, 150-51, 164, 187, 204, 207-09
natureza humana 8-9, 13, 19, 25, 45, 49, 67, 71, 85, 94, 101, 113-15, 119, 161, 167, 189, 198, 214, 236
neurose 32, 36, 54-60, 70, 75-77, 83, 91-94, 151, 177, 195, 213, 237; *psiconeurose* 72, 91-94
normalidade 43, 53, 74, 77, 106-08, 126-29, 157, 170, 174-75, 179-82, 196, 202-12, 219, 236-37; *anormalidade* 30, 43, 77, 96, 106, 204-08, 212, 236

Objeto 33, 57-58, 67, 75, 83, 92, 95-96, 103-06, 110, 114-21, 127, 134, 147-54, 157, 160-61, 173, 223; *relação de* 156, 223
obsessivo 32, 96-97, 195
ódio 20, 82-84, 87, 91-93, 96-97, 105, 113, 116, 170, 196, 216, 227, 231
onipotência 118, 153-56
OPHUIJSEN, Johan H. W. van 121
oral 63-68, 74, 117, 121, 126, 194

245

ÍNDICE REMISSIVO

Pai 23, 76-77, 82-86, 89-90, 95, 105-06, 131
paranoide 33, 40, 105, 125, 139, 173-75, 179-80, 212, 236, 239
pediatria *ver* medicina
perseguição 120-22, 125-26, 135, 163, 179-80, 212
personalidade 23, 35, 79-81, 117, 128, 137, 158, 172-73, 176-78, 195-96, 199, 228; *despersonalização* ver *despersonalização*
posição depressiva 5, 73, 87, 104-13, 116-18, 123, 126-29, 172, 195, 219-20, 228-30, 236, 239
potencial 83, 113, 122, 128, 132, 149, 159-60; *impotência* 55, 68
prazer 39, 62, 97, 132, 151, 155, 178, 196, 210, 218, 225
pré-genital *ver* genital
professor/a 7, 13, 23, 55, 95, 112-14, 199
projeção 120-21, 125, 159-61
psicanálise 14-15, 23-25, 36, 42, 45, 53, 57-58, 72, 85-86, 91-94, 107, 111-112, 130-39, 143, 227
psicologia 13-15, 19, 22-24, 37-39, 42, 48, 53-58, 62, 85, 95, 150-51, 168, 172, 177, 182, 185, 191, 204, 212, 222, 229; *psicólogo/a* 19, 37-38, 151, 182, 185
psiconeurose *ver* neurose

psicose 15, 28-29, 32-33, 36, 60, 75, 91-93, 119, 130, 137, 161, 173, 177, 187, 213-14, 231, 237
psicossoma 4, 25, 45-49, 53-54, 81, 138, 177, 198-99, 226, 231-33, 235-38
psicoterapia 14-15, 29, 36, 39, 42-44, 55, 60, 81, 92, 107, 123, 126, 130, 143, 171-74, 200-01, 213, 224, 236
psique 5, 19-20, 25-35, 43-49, 55, 79-81, 107, 115-16, 137-39, 143, 176-79, 188, 198, 220-21, 228, 232, 235-39
psiquiatra 14, 19, 23, 32-35, 40-42, 45, 58, 139, 179, 199, 213-14
puberdade 21, 68, 84, 87-88, 94, 237

Raiva 87, 105-07, 113, 118, 128, 170-72, 192
realidade 9, 33-34, 43, 49, 54, 58, 72, 75, 86, 89-90, 104, 113, 118-20, 135-36, 143, 147, 153-60, 165-66, 186-88, 195, 216, 221-23, 236, 239; *psíquica* 72, 75, 86, 104, 113, 135-36, 154, 223, 237-39
reasseguramento [*reassurance*] 43, 84, 105, 111, 139, 147, 206-07

regressão 5, 93, 97, 157, 170-73,
    186-87, 190, 200-01, 213,
    224-25, 228
relaxamento 37, 170-73
religião 80, 154-55, 161, 223
reparação 105-11, 220, 235
representação 158-59, 184, 195
repressão 43, 47, 55, 76-77, 85, 91,
    97, 101-02, 119, 126, 132, 196-97,
    227, 235, 239
respiração 205-11, 228-29
responsabilidade 26, 39, 81, 103,
    128, 134, 172, 217
retraimento [*withdrawal*] 33, 134,
    159, 186, 200, 236
RICKMAN, John 178, 205
ROSEN, John N. 213

Sadismo 64-65, 126, 194
saúde 4, 13, 21-22, 26-32, 35,
    38, 43, 47-49, 59-61, 67, 73-84,
    94-96, 101, 110, 115-16, 128,
    138-39, 151, 164, 173, 178, 182, 189,
    198, 214, 235
SEGAL, Hanna 107
seio 38, 103, 108, 113, 145-46,
    149-51, 171, 212
self 20, 35, 54, 79, 85, 101-02,
    105-06, 116-21, 124, 128, 131, 134,
    138-39, 143, 156-59, 164, 168-70,
    174-80, 188-89, 195-96, 199-201,
    204, 228-29, 234; *falso* 156-58,
    195, 234; *verdadeiro* 156, 229

separação 14, 40, 71, 89, 106, 127,
    145, 158, 221-22
setting 14, 132, 234
sexualidade 58, 69-76, 87-91, 205,
    235; *infantil* 58, 87-88
sintoma 29, 39, 42, 55-59, 77, 81,
    121, 227
sobrevivência 83, 95, 216, 219
sociedade 15, 19, 22, 74, 215, 219
sofrimento 37, 48, 66, 75-76,
    80-81, 85, 119, 127-28, 205,
    210, 224
solidão 166, 189-92
somático 23-27, 30, 35, 38-39,
    43-47, 53, 82, 97, 149, 153, 177-79,
    185, 198, 232, 235, 238
sonho 9, 68, 71-73, 84-90, 136, 187,
    196, 216, 229-30, 237; *pesadelo*
    84, 163
SPENCE, James 163
SPITZ, René A. 106
status de unidade 172, 194-95,
    236, 239
submissão 156-58, 195
superego 86, 233
sustentação [*holding*] 37, 49,
    70-71, 92-93, 105, 112, 131, 169-72,
    176, 200, 219

Técnica 80, 85, 112, 115, 152-54, 158,
    162, 172, 209, 220-21
tendência antissocial 9, 15, 19, 34,
    161, 235

247

ÍNDICE REMISSIVO

tensão 19, 34, 41–43, 46, 59, 77,
    83–84, 90, 137, 145, 148, 160, 230
transferência 92, 131–32, 228
transicional 153–54, 234–35

Vitalidade/não vida 128–29,
    158–59, 190–92, 205

WINNICOTT, Clare 4, 9

SOBRE O AUTOR

Donald Woods Winnicott nasceu em 7 de abril de 1896, em Plymouth, na Inglaterra. Estudou ciências da natureza na Universidade de Cambridge e depois medicina na faculdade do hospital St. Bartholomew's, em Londres, onde se formou em 1920. Em 1923, foi contratado pelo Paddington Green Children's Hospital – onde trabalhou pelos quarenta anos seguintes –, casou-se com a artista plástica Alice Taylor e começou sua análise pessoal com James Strachey, psicanalista e tradutor da edição Standard das obras de Sigmund Freud para o inglês. Em 1927, deu início a sua formação analítica no Instituto da Sociedade Britânica de Psicanálise, em Londres. Publicou seu primeiro livro em 1931, *Clinical Notes on Disorders of Childhood* [Notas clínicas sobre distúrbios da infância]. Em 1934, concluiu a formação como analista de adultos e, em 1935, como analista de crianças. Pouco depois, iniciou nova análise pessoal, dessa vez com Joan Riviere. Durante a Segunda Guerra Mundial, Winnicott trabalhou com crianças que haviam sido separadas das famílias e evacuadas de grandes cidades. Nos anos seguintes à guerra, foi presidente do departamento médico da Sociedade Britânica de Psicologia por duas gestões. Após um casamento conturbado, divorciou-se de Alice Taylor em 1951 e casou-se com a assistente social Clare Britton no mesmo ano. Foi membro da Unesco e do grupo de especialistas da OMS, além de professor convidado no Instituto de Educação da Universidade de Londres e na London School of Economics. Publicou dez livros e centenas de artigos. Entre 1939 e 1962, participou de diversos programas sobre maternidade na rádio BBC de Londres. Faleceu em 25 de janeiro de 1971.

OBRAS

Clinical Notes on Disorders of Childhood. London: Heinemann, 1931.
Getting to Know Your Baby. London: Heinemann, 1945.
The Child and the Family: First Relationships. London: Tavistock, 1957.
The Child and the Outside World: Studies in Developing Relationships. London: Tavistock, 1957.
Collected Papers: Through Paediatrics to Psychoanalysis. London: Hogarth, 1958.
The Child, the Family, and the Outside World. London: Pelican, 1964.
The Family and Individual Development. London: Tavistock, 1965.
The Maturational Processes and the Facilitating Environment. London: Hogarth, 1965.
Playing and Reality. London: Tavistock, 1971.
Therapeutic Consultations in Child Psychiatry. London: Hogarth, 1971.
The Piggle: An Account of the Psychoanalytic Treatment of a Little Girl. London: Hogarth, 1977.
Deprivation and Delinquency. London: Tavistock, 1984. [póstuma]
Holding and Interpretation: Fragment of an Analysis. London: Hogarth, 1986. [póstuma]
Home Is Where We Start From: Essays by a Psychoanalyst. London: Pelican, 1986. [póstuma]
Babies and their Mothers. Reading: Addison-Wesley, 1987. [póstuma]
The Spontaneous Gesture: Selected Letters. London: Harvard University Press, 1987. [póstuma]
Human Nature. London: Free Association Books, 1988. [póstuma]
Psycho-Analytic Explorations. London: Harvard University Press, 1989. [póstuma]
Talking to Parents. Reading: Addison-Wesley, 1993. [póstuma]
Thinking About Children. London: Karnac, 1996. [póstuma]
Winnicott on the Child. Cambridge: Perseus, 2002. [póstuma]
The Collected Works of D. W. Winnicott. Oxford: Oxford University Press, 2016. [póstuma]

EM PORTUGUÊS

A criança e seu mundo [1957], trad. Álvaro Cabral. São Paulo: LTC, 1982.
Da pediatria à psicanálise [1958], trad. Davy Bogomoletz. São Paulo: Ubu Editora, 2021.
Família e desenvolvimento individual [1965], trad. Marcelo B. Cipolla. São Paulo: Ubu Editora/WMF Martins Fontes, 2023.
Processos de amadurecimento e ambiente facilitador: estudos sobre a teoria do desenvolvimento emocional [1965], trad. Irineo Constantino Schuch Ortiz. São Paulo: Ubu Editora/WMF Martins Fontes, 2022.
O brincar e a realidade [1971], trad. Breno Longhi. São Paulo: Ubu Editora, 2019.
Consultas terapêuticas em psiquiatria infantil [1971], trad. Joseti M. X. Cunha. São Paulo: Ubu Editora/WMF Martins Fontes, 2023.
The Piggle: o relato do tratamento psicanalítico de uma menina [1977], trad. Else P. Vieira e Rosa L. Martins. Rio de Janeiro: Imago, 1979.
Deprivação e delinquência [1984], trad. Álvaro Cabral. São Paulo: Ubu Editora/WMF Martins Fontes, 2023.
Holding e interpretação [1986], trad. Sónia Maria T. M. de Barros. São Paulo: Martins Fontes, 1991.
Tudo começa em casa [1986], trad. Paulo Cesar Sandler. São Paulo: Ubu Editora/WMF Martins Fontes, 2021.
Bebês e suas mães [1987], trad. Breno Longhi. São Paulo: Ubu Editora, 2020.
O gesto espontâneo [1987], trad. Luis Carlos Borges. São Paulo: Martins Fontes, 1990.
Natureza humana [1988], trad. Davy Bogomoletz. São Paulo: Ubu Editora/WMF Martins Fontes, 2024.
Explorações psicanalíticas [1989], trad. José Octavio A. Abreu. C. Winnicott, R. Shepperd e M. Davis (orgs). Porto Alegre: Artmed, 1994.
Falando com pais e mães [1993], trad. Álvaro Cabral. São Paulo: Ubu Editora/WMF Martins Fontes, 2023.
Pensando sobre crianças [1996], trad. Maria Adriana V. Veronese. Porto Alegre: Artmed, 1997.

WINNICOTT NA UBU

CONSELHO TÉCNICO Ana Lila Lejarraga, Christian Dunker, Gilberto Safra, Leopoldo Fulgencio, Tales Ab'Saber

O brincar e a realidade
Bebês e suas mães
Tudo começa em casa
Da pediatria à psicanálise
Processos de amadurecimento e ambiente facilitador
Família e desenvolvimento individual
Consultas terapêuticas em psiquiatria infantil
Deprivação e delinquência
Falando com pais e mães
Natureza humana

EDITORA WMF MARTINS FONTES LTDA.
Rua Prof. Laerte Ramos de Carvalho, 133
01325 030 São Paulo SP
11 3293 8150
wmfmartinsfontes.com.br
info@wmfmartinsfontes.com.br

UBU EDITORA
Largo do Arouche 161 sobreloja 2
01219 011 São Paulo SP
ubueditora.com.br
professor@ubueditora.com.br
🄵 🄾/ubueditora

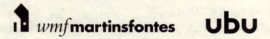

Título original: *Human Nature*

© Ubu Editora, 2024
© The Winnicott Trust, 1988

*Tradução atualizada conforme critérios
estabelecidos pelo conselho técnico.*

EDIÇÃO Gabriela Naigeborin
PREPARAÇÃO DE ARQUIVO Júlio Haddad
PREPARAÇÃO Cássio Yamamura
REVISÃO Carolina Hidalgo
FOTO DA CAPA E PP. 2-3 Nino Andrés
MODELO DE MÃOS Jorge Wisnik
TRATAMENTO DE IMAGEM – CAPA E ABERTURA Carlos Mesquita
PRODUÇÃO GRÁFICA Marina Ambrasas

EQUIPE UBU
DIREÇÃO EDITORIAL Florencia Ferrari
COORDENAÇÃO GERAL Isabela Sanches
DIREÇÃO DE ARTE Elaine Ramos; Júlia Paccola,
   Nikolas Suguiyama (assistentes)
EDITORIAL Bibiana Leme, Gabriela Naigeborin
COMERCIAL Luciana Mazolini, Anna Fournier
COMUNICAÇÃO / CIRCUITO UBU Maria Chiaretti,
   Walmir Lacerda, Seham Furlan
DESIGN DE COMUNICAÇÃO Marco Christini
GESTÃO CIRCUITO UBU / SITE Laís Matias
ATENDIMENTO Cinthya Moreira

Dados Internacionais de Catalogação na Publicação (CIP)
Elaborado por Vagner Rodolfo da Silva – CRB-8/9410

W776n Winnicott, Donald W. [1896–1971]
Natureza humana/Donald W. Winnicott; título original:
  Human Nature; traduzido por Davy Litman Bogomoletz;
  conselho técnico: Ana Lila Lejarraga, Christian Dunker,
  Gilberto Safra, Leopoldo Fulgencio, Tales Ab'Saber.
  São Paulo: Ubu Editora/WMF Martins Fontes, 2024. 256 pp.
  ISBN UBU   978 85 7126 158 7
  ISBN WMF 978 85 4690 607 9

1. Psicologia. 2. Psicanálise. 3. Infância. 4. Pediatria.
5. Clínica. 6. Terapia. I. Bogomoletz, Davy Litman. II. Título.

2024-369   CDD 150   CDU 159.9

Índice para catálogo sistemático:
1. Psicologia 150
2. Psicologia 159.9

FONTES Domaine e Undergroud
PAPEL Pólen bold 70g/m²
IMPRESSÃO Margraf